COLLE

Pierre Bergounioux

Le premier mot

Gallimard

Pierre Bergounioux est né à Brive. Il a publié pas moins de quatre-vingts ouvrages, dont de nombreux récits. Il est notamment l'auteur de *Catherine, La bête faramineuse, Miette* et *La mort de Brune*. Ses carnets de notes sont publiés aux Éditions Verdier. Il a reçu le Grand Prix de littérature de la SGDL (2002) et le prix Roger-Caillois (2009), tous deux pour l'ensemble de son œuvre.

Ce qui se donnait pour la réalité et qui a tenu, longtemps, dans un cercle de un kilomètre de diamètre, à peu près, m'a inspiré d'emblée un puissant déplaisir. J'y ai remédié avec les moyens du bord, penser délibérément à autre chose, rêvasser, faute des explications appropriées. Elles se trouvaient hors d'atteinte, plus au sud, dans le passé. Lorsque j'ai fini par me les procurer, il était trop tard. La vie qui me convenait se sera écoulée en mon absence, au loin.

Le seul à pouvoir m'éclairer était mon grand-père maternel. Il était originaire de la Bouriane. Il l'avait quittée au début du siècle pour Brive, où il avait fait son apprentissage. Il était entré au Paris-Orléans qui l'avait expédié à Périgueux, Orléans et Saint-Pierre-des-Corps. Il avait pris sa retraite à Brive afin de rester près de ses enfants. C'est là que j'ai fait sa connaissance, en arrivant.

On m'a conduit, dès le début, dans sa maison natale qui servait de point de ralliement aux éléments épars de trois générations. On ne se trompe pas, s'agissant de l'endroit où nous avons notre place en creux. Je ne me rappelle pas les premières fois. Mais dans mon premier souvenir, il y a celui, mystérieux, d'un lieu où l'obscure contrariété, l'ennui sourd, tenace qu'on éprouve tout enfant, surtout enfant, se dissipe. Cette réminiscence d'heures tombées dans l'oubli jette sur les plus anciens départs que je me rappelle, pour la Bouriane, une allégresse inexprimable.

Grand-père détenait les éléments peu nombreux, très simples, de l'énigme. Il me plaît de croire qu'il a songé à m'en parler, qu'il attendait que passe l'instant immobile, l'éternel présent du premier âge pour me les livrer. Il est mort l'année de mes sept ans. Les quelques mots dont j'avais besoin l'ont suivi dans la tombe. C'est l'époque vers laquelle je me suis mis à pratiquer l'absentéisme opiniâtre qui m'a valu le fastidieux reproche d'être dans la lune alors qu'il n'y avait pas à chercher si loin. Je revenais, en pensée, au pays perdu ou me transportais en d'hétéroclites et vagues contrées qui avaient en commun de n'être pas celle, réelle, où je vivais.

Lorsqu'on traverse en direction du nord les causses étagés sur les vallées du Lot et de la Dordogne, la route qui courait droit devant elle par de blanches esplanades bute sur des hauteurs médiocres mais puissamment échelonnées. Une roche grise, grossière, affleure aux pentes, dans les défilés, vire au rouge. On ne fait plus que descendre et monter. On n'arrête pas de tourner. On se sent opprimé de toutes les façons. Le ciel s'est absenté. Le sol accidenté, humide, ne porte plus rien de bon, de nourricier. Le taillis, la fougère, la bruyère ont supplanté les vignes, les vergers, un grès massif, informe, la pierre claire, l'ardoise, la tuile romaine. On entre en Limousin. J'en ai conçu une contrariété qui se confond dès l'origine avec le sentiment de l'existence.

Peut-être s'en est-il fallu de quelques semaines que grand-père ne me parle malgré la maladie qui s'était déclarée dans l'hiver ou bien à cause d'elle, justement, dont la marche impétueuse ne lui laissait ni espoir ni répit. D'une voix que je ne lui connaissais pas, distante, entrecoupée de silences, quand la douleur lui transperçait la plèvre, il aurait hasardé que ça n'allait pas très bien, n'est-ce pas ? Et comme c'était mon état habituel, que je n'en connaissais pas d'autre, les heures rares, espacées que j'avais passées dans la Bouriane — chez lui — exceptées, où j'étais à ce point hors de moi d'aise, de liesse, qu'il m'était impossible d'y penser, j'aurais hésité à me rendre à l'évidence, à lui accorder que c'était bien ça. Il aurait joint le geste à la parole. Sa main diaphane, exténuée se serait soulevée pour désigner, à la fenêtre de la chambre, le fond de la cuvette où Brive est bâtie, le cirque de collines

11

qui bornait les regards. Sa voix me serait de nouveau parvenue comme si elle sortait d'un désert,
d'un gouffre alors que nous étions — aurions
été — l'un près de l'autre, comme nous avions
accoutumé, en fin de matinée, lorsqu'il avait
sarclé ses parterres et que j'avais une petite bête,
des graines, une question à lui soumettre. Et
alors quelque chose aurait bougé dans la confusion qui nous habite, se serait composé, ton sur
ton, un visage à l'appel de son nom. J'aurais
deviné le spectre de la contrariété qui hantait
la dépression grise et grand-père, qui l'aurait
vu sur ma figure, aurait poursuivi. Comme tant
de fois il avait fait lorsque l'été régnait sur le
coteau et que nous partions, main dans la main,
en promenade, il m'aurait entraîné, mais sans
bouger, dans le temps d'avant, du côté inter-
mittent et mystérieux qui était le sien, où je
n'avais éprouvé, pour le peu que je l'aie fréquenté, ni restriction ni dépit mais une paix si
grande qu'elle semblait n'être pas la mienne,
concerner quelqu'un d'autre, plusieurs même,
qui vivaient au fond de moi et me paraissaient
étrangers. Et j'aurais dit oui. Oui. Il n'aurait pas
eu besoin de jeter d'autres mots, comme des
pierres dans un puits, d'attendre l'écho sou-
levé dans cette nuit. Je savais, dès la première
fois, et dès avant cela. Autant l'approche de la
tangible, de la chronique réalité était malaisée,
mon premier mouvement étant de reculer, de

fuir, autant il m'aurait été facile d'accéder aux éclaircissements de grand-père sur le pays où j'avais peut-être séjourné dix jours, tout compte fait. Mais il aurait fallu qu'il s'attarde un peu ou que, de mon côté, je me hâte. La mort s'est interposée.

Cet entretien que j'imagine aurait pu tourner court, la première question de grand-père tomber à l'eau si j'avais tenu par les principales fibres à la branche opposée. Elle était ou se croyait du cru. Elle avait succombé à l'esprit du lieu, s'adonnait — mon père, surtout — à la mélancolie. Mais il doit y avoir des signes, sur la foi desquels il serait salutaire de nous convier le plus tôt possible à une causerie pleine d'aisance et de bonhomie, toute de primesaut, en apparence, mais en vérité très précise et approfondie. Elle permettrait d'établir qui nous sommes, quelle part de nous-même nous devance et nous dépasse et réclame d'être portée au jour si l'on prétend avoir une existence propre, être soi dans les limites étroites qui nous sont départies. Donc, la remarque de grand-père, le lent envol de sa main auraient pu rester sans suite. Il aurait patienté le temps qu'il faut à une poignée de mots pour toucher le fond, l'émouvoir, et au-delà encore, après quoi il aurait articulé de sa voix de désert que je pouvais redescendre au jardin, qu'il allait, quant à lui, se reposer un peu alors qu'on n'était qu'en fin de matinée, qu'il faisait un temps à être dehors toute la journée. Mais il ne m'a pas dit. Février l'a emporté.

Il s'en est fallu de peu, vraiment. C'est dès huit ans qu'on envisage les choses lointaines, abstraites, le calcul mental, les rudiments de l'analyse grammaticale, l'histoire de France. On admet qu'il y a du temps sous le temps. On se représente des Gaulois volubiles et batailleurs, des rois indolents que traînent des bœufs, la fillette enchantée, bardée de fer, les sans-culottes portant la pique et le bonnet phrygien. Il ne doit pas être autrement difficile de percer l'immédiateté — une petite ville enfouie dans son bassin de grès — pour reconnaître un peu plus bas, dans un pays différent, son authentique et profonde demeure.

Grand-père était le seul lien vivant avec le lieu, les heures dont l'administration des limbes m'a confié le dépôt. J'ai bien touché quelques fournitures en provenance de l'autre côté, l'ennui cuisant, surtout, que m'a valu l'exil où je suis né et qui était, l'ennui, l'ordinaire séjour de la branche opposée. Mais j'ai songé le plus sérieusement du monde à lui échapper, à être heureux. L'hiver de 1957 a couvert de son ombre l'âge antérieur. Pire. En emportant grand-père, il m'a privé de la ressource d'interroger les choses qui s'attardent et nous répondent s'il est vrai que l'on est aussi, surtout, ceux qui furent avant et dont elles se souviennent lorsqu'on croise leur

14

route et leur demande tout bas. La maison de grand-père revint à un rameau éloigné de la parentèle et je restai des années, encore, sans savoir que c'est là qu'il avait vu le jour, pour ça qu'on m'y conduisit, au début, qu'on sait déjà tout mais qu'on l'ignore. Trente années passèrent. Ce n'est pas parce que rien n'avait fondamentalement changé, quand je revins, que des voix m'ont semblé résonner dans l'air que je respirais. Non, c'est parce que j'avais fini par démêler l'histoire enfouie dont nous avons à reprendre le fil sous peine de n'avoir pas été selon notre nature. Et ce que me disait leur lèvre confidente, délicatement modelée dans l'éblouissante lumière, c'est que j'étais chez moi.

L'intervalle, je l'ai passé sur les terres froides, ce qui consistait, je l'ai dit, à tenter de m'y soustraire en substituant des images à la réalité. Le délabrement de l'après-guerre, les difficultés de l'époque ajoutaient leur touche passagère à la tristesse foncière de l'endroit. Le centre de l'agglomération était à l'abandon. Des maisons, appuyées sur des étais, menaçaient ruine. Une vie étrange, précaire s'obstinait dans des bâtisses aux toitures crevées, aux volets dégondés, sur l'arc oriental du boulevard, les arrières des rues commerçantes, le quartier de l'ancienne halle. Malgré l'eau de pluie, les gravats, des rideaux pendaient aux fenêtres du rez-de-chaussée. Une main fantomatique les écartait parfois. Le temps, l'argent avaient manqué lorsque, dans les années vingt, elles avaient réclamé des travaux d'entretien. Ceux qui les avaient fait construire au commencement de la troisième République s'étaient éteints sans espoir, la rente dépréciée, leurs emprunts russes, des chiffons de papier, le fils unique, l'héritier entouré d'affection, tombé sur la Marne, volatilisé sous Verdun, les jours oisifs, paisibles, un peu étriqués qu'ils avaient escomptés balayés par le vent effroyable qui s'était levé sur la terre, percés de pluie, effondrés.

On a beau venir à peine, on sent les choses, si loin qu'on soit des espaces ouverts où tout est explicite. L'esprit mauvais de l'époque antérieure s'attardait parmi nous. Le pays, vidé de sa substance, ses énergies consumées, avait été tenté de tracer le mot fin au bas de son histoire. Le déclin amorcé dès après la Grande Guerre, le renoncement qui avait conduit à Munich, à la défaite semblaient se poursuivre. Je ne m'explique pas autrement la tristesse pénétrante et vague qui me submergeait lorsque j'allais par les rues ou que je me tenais à l'abri de quatre murs, sans aucun motif précis d'affliction.

Je ne distinguais pas entre la physionomie transitoire du moment et celle, inaltérable, de l'endroit. Les deux contribuèrent à me jeter dans les rêveries assidues où j'ai passé le meilleur de ces années. Mais la seconde était d'autant plus difficile à déceler qu'elle ne soulevait pas d'objection, autour de moi. Les tenants de la réalité lui étaient homogènes, en ces temps, les derniers, de lenteur, de sédentarité. Du paysage environnant, ils avaient la taille courte, massive, les traits sommaires et la ténacité, comme si nous étions voués à mimer le dehors, notre visage, un reflet de la brande, des rochers. Il m'est arrivé parfois de penser, sans le dire, que si nous sommes cette chose pour qui toutes les autres sont, comme il en est d'exiguës, de revêches et d'autres dont la bonté, l'éclat semblent inépuisables, alors un rapide séjour parmi les premières épuise la question tandis que les autres réclament plusieurs vies consécutives. Nombreux furent les ressortissants de mon ascendance paternelle qui partirent prématurément sous divers prétextes, la guerre, la maladie, l'indifférence. D'autres attendirent patiemment l'expiration du terme mais on voyait bien que c'était à contrecœur. Mon père n'a jamais pris la peine de donner le change. Il fut tourné, sa vie durant, vers le néant dont on l'avait tiré sans son aveu.

Le loisir me manquait pour faire plus ou mieux que de substituer à ce qu'il y avait continuellement des visions différentes ou l'absence pure et simple. Pénibles entre toutes étaient les journées auxquelles il avait été impossible de rien retrancher. Toujours quelque occupation sans attrait, sans raison perceptible sinon de nous rendre plus réels, moins gais. Il m'en coûtait de renouer chaque matin avec l'ennui quasi solide, les rues vieillottes, les murs de grès, l'étroitesse. On aurait pu faire un effort pour rendre la place accueillante ou alors nous laisser tranquilles, inexistants. Les locaux, les heures, les personnages prenaient l'apparence d'un rêve qu'un obscur décret, de rêve, nous interdit de quitter. Je luttais contre l'ensommeillement. Ce n'est qu'au prix d'un effort ininterrompu que je gardais le contact avec la vision terne, le bourdonnement des voix, la grisaille ambiante.

Quand c'était fini, je pensais que j'allais pouvoir fermer les yeux, dormir comme je n'avais pas cessé d'en éprouver l'envie. Mais le songe éveillé de la journée possédait la vertu des vrais rêves. Ceux-ci, pour laborieux, pénibles qu'ils soient, nous ont lavés des fatigues du jour. La torpeur contre laquelle je m'étais roidi s'évanouissait lorsque j'étais rendu à moi-même. Des réserves auxquelles je n'avais pas accès, dans la journée, parce que inappropriées au monde où je me trouvais impliqué, étaient comme débloquées. Quels en étaient les dispensateurs, où en était la source, je l'ignorais. Celui qui aurait pu me l'indiquer n'était plus et j'étais à cet âge, qui dure longtemps, peut-être toujours, où l'explication se dérobe, où l'on n'imagine même pas que ce qui nous arrive, se passe, puisse s'expliquer.

Je me tournais de côté et d'autre. Je me représentais les moments que j'aurais pu passer ail-

18

leurs, ce que j'en aurais fait et qui se ramenait, en fin de compte, à y passer tout simplement le temps. Puis c'était le matin. De la mort de grand-père au début de l'adolescence, je me suis contenté d'exploiter les interstices et les marges de la réalité. Plus tard, j'ai cherché à étendre ma liberté, qui prit la forme d'insomnies prolongées. Je rentrais après avoir versé tribut à l'esprit tyrannique et chagrin de chaque jour. Je me faisais une fête toute privée, très discrète, de ne plus voir les choses qu'il m'avait fallu considérer, des détails blessants, certains visages. L'attention, le zèle qu'avec la meilleure volonté je n'avais pu donner aux obligations de la journée m'étaient restitués, soudain, vivaces, inentamés, comme si les travaux, les peines auxquels j'avais sacrifié, un tiers s'en était acquitté, superficiellement et de mauvaise grâce, tandis que je conservais, intactes, les réserves expressément destinées à la vie effective, véritablement mienne, dont j'avais été sevré. Rien que de ne pas penser à ce qu'il y avait eu depuis le réveil était un délice, donc un premier motif de retarder le sommeil. L'absence des formes et des couleurs, le silence avaient un charme positif. Des pensées en provenance d'un passé inconnu, d'une contrée dont me séparaient des lieues et des lieues de ténèbres, me visitaient. Je n'y faisais pas réflexion. Elles m'occupaient sans que je songe à leur demander ce qu'elles me voulaient.

Vers minuit, le ronronnement d'un avion à hélices, très haut, le cap sur Toulouse, dessinait la profondeur du ciel nocturne. Il apparaissait d'un coup, tout rond, obstiné, bien réglé et le ravissement que j'avais à l'écouter passer puis décroître tenait, j'imagine, à cette faculté d'aller dont je ne concevais toujours pas qu'elle était mienne, aussi, qu'elle le deviendrait lorsque je l'admettrais, l'exercerais. Je continuais de suivre l'appareil bien après que son bruit s'était tu. La coupole qu'il avait édifiée au-dessus de nos têtes s'estompait. La nuit s'avançait. L'air noir fraîchissait. L'odeur de la terre, des bois de châtaigniers agrippés aux flancs de la cuvette descendait jusqu'à nous, parcourait les rues désertes, se glissait par l'entrebâillement de la fenêtre. L'empêchement massif, la privation constante en quoi la réalité a consisté pâlissaient au point que je fus, à plusieurs reprises, à un cheveu de me lever sans bruit pour suivre le ronronnement heureux que je croyais toujours entendre, qui me semblait se prolonger dedans. Tout paraissait facile, quitter la maison endormie, suivre l'anneau du boulevard jusqu'à l'embranchement de la nationale 20 pour m'enfoncer à mon tour vers ma destination. L'élan dont je n'avais pas eu l'usage, le jour, m'aurait porté d'une traite, sans fatigue, comme l'avion. J'ai bien dû partir de la sorte, sans toucher terre, bras écartés, en bourdonnant avec les lèvres mais ce fut en rêve, très tard. Car à l'instant d'atteindre mon but, le paysage disparaissait brutalement. C'était l'aube. J'aurais voulu dormir encore, n'ayant pas eu mon content de repos et tout recommençait.

Lorsque, pour une raison quelconque, ce qu'il y a cesse de prolonger ce qu'on est, on cherche spontanément à mettre un nom sur l'absence ou la contrariété. Peut-être est-ce conserver quelque chose d'une chose que d'en reconnaître en nous l'exacte étendue et, lorsqu'elle nous est contraire, de sauver ce qui subsiste autour et reste nôtre. Mais c'est trois ou quatre ans plus tard, à Limoges, que j'envisagerais de me procurer les mots qui sont notre contribution à l'affaire, d'aller les chercher au diable vauvert où il semblait qu'ils fussent. Pour l'heure, j'envisageais simplement de suivre mon penchant. Dès que j'en aurais l'âge, la capacité, je me porterais n'importe où entre Martel, au nord, et Prayssac, au sud, pour n'en plus bouger.

Ma seule année de bonheur, tout relatif, eu égard au coin de la réalité continuellement enfoncé dans les pensées qui me venaient et ne s'y rapportaient pas, aura été la seizième. Je me suis vu en blouse grise d'instituteur, sans béret (il se perdait), dans quelque bâtisse coiffée de tuiles rondes avec un platane à la fenêtre. Les maîtres avaient une façon à eux de traverser la cour ensemble, mains dans le dos, en devisant pendant la récréation. Je me souviens d'avoir esquissé deux ou trois pas en copiant l'air absent, sévère qu'ils avaient, comme j'aurais, pensais-je, à le faire à peu de temps de là.

Que valent les desseins qu'on forme à maturité ? Ils ont le poids, la portée d'un instant alors que ceux qu'on arrête d'emblée ont été mûris, éprouvés dans la grande durée. Examiner toutes les choses ou seulement le plus grand nombre qu'il nous soit permis d'embrasser pour découvrir celle qui nous convient n'est pas nécessaire. D'abord, il se pourrait qu'elle ne se présente jamais. Et puis on ne va pas rester dans l'expectative, s'abstenir jusque-là. C'est dès qu'on respire qu'on est sommé d'agir, exposé à pâtir. Aussi un accès infaillible, fulgurant nous est-il ménagé sur l'endroit précis où les heures d'or, les nôtres attendent notre venue pour commencer leur ronde. J'ai su où était ma place quand je n'avais pas le premier mot pour l'expliquer. Ç'aurait été sans importance si j'avais pu m'y établir. Je le cherche parce que ce qui est arrivé n'est pas ce qui aurait dû et qu'on peut toujours, à défaut, s'efforcer de comprendre, d'accepter.

Mon seul embarras portait sur l'emplacement du lopin auquel je songeais, les yeux ouverts, longtemps après minuit. J'hésitais entre les contraires, également exaltants, qui font le charme du Quercy. D'un côté les vallées que l'eau descend en majesté entre les cultures exubérantes du maïs et du tabac, les essences tendres, l'ombre verte, les terrasses pomponnées d'arbres fruitiers ; de l'autre, les pechs dressés dans la sécheresse, les vastes demeures régnant sur les vignes, leur parfum légèrement astringent, composite où entrent l'odeur de la suie refroidie, de la pierre claire, du bois de noyer, de l'éternité. Mais il n'est pas jusqu'à cette incertitude qui n'ait sa raison, qui n'eût trouvé sa résolution si mon père, au lieu de cuver l'atrabile qu'il avait sucée avec le lait maternel, s'était demandé quel homme avait été son père prématurément disparu. Il lui aurait suffi d'interroger l'état civil pour savoir qu'il sortait des environs de Gramat et moi, par voie de conséquence, que rien n'était plus naturel que mon hésitation entre la vallée de la Dordogne et la Bouriane, une heure plus bas, à quoi je tenais par l'autre côté.

C'est donc la nuit que j'ai arrêté le détail de la vie différente où j'allais entrer. C'était l'âge, alors. Je l'avais constaté un ou deux ans plus tôt, lorsqu'une bonne partie des gosses avec lesquels j'avais fréquenté la communale s'étaient retrouvés, qui peintre en bâtiment, qui mécanicien auto, qui tourneur fraiseur. Ils ne m'ont pas dit s'ils avaient envisagé d'autres jours, sous d'autres cieux. Le travail auquel ils furent commis sans transition, penchés sur des machines ou allongés à même le ciment gras, sous des châssis emporta leurs rêveries. On se revoyait, à intervalles plus ou moins réguliers. Ils passaient, le samedi, en fin d'après-midi, après s'être vigoureusement décrassés. La chambre mansardée où je lisais sentait soudain l'eau de Cologne et la savonnette bon marché. Ils passaient leurs mains aux ongles cassés sur leurs cheveux débarrassés de la limaille, de l'enduit, des lubrifiants, humides encore, soigneusement calamistrés. Ils avaient touché leur paie hebdomadaire, tiraient de leur poche des billets, parlaient du prix du temps. Ils me quittaient pour aller dîner. Ensuite, ils iraient faire danser les filles de l'école ménagère ou parcourir l'anneau du boulevard au volant de vieilles bagnoles qu'ils avaient entièrement retapées, peintes en rouge vif ou bleu roi, ornées de bandes blanches longitudinales ou de motifs à damier. La nuit venait, avec son cortège d'images. J'apportais des retouches à mes projets, les ajustais aux quelques sites que j'avais retenus avant que d'y songer. Ils seraient prêts l'année suivante. Ils deviendraient la réalité.

J'aurais dû parler à mon père. Je ne l'ai pas fait. Ce n'était pas la peine. Nous n'avons pas été vraiment ensemble. Il avait son idée. Plus exactement, sa mère et, peut-être, son père, dans le peu de temps qui leur fut donné, s'étaient fait une idée à son sujet. Ils auraient aimé qu'il devînt professeur. Là-dessus était arrivée la guerre et mon père, orphelin de père, n'en avait plus fait qu'à sa tête. Il avait entrepris des études de pharmacie avec l'espoir — qui sait ? — de trouver un remède à la mélancolie. Seulement, les rêves inaccomplis s'attardent. Les mots qu'une petite femme frêle et son époux, qui était grand, affable, si j'en crois la photo qui le montre souriant, vers 1913, avaient échangés tout bas, sous une lampe, les mots leur avaient survécu. N'ayant pu susciter le personnage à redingote et guêtres, lunettes rondes cerclées d'acier en qui un conducteur de locomotive et sa jeune épouse auraient eu agréable de se perpétuer, ils avaient poursuivi leur course à travers la durée. Une figure pédantesque, incréée, marchait parmi les ombres qui environnaient mon père et qui s'ingénièrent à lui dérober, presque, le monde des vivants, la lumière du soleil. Il ne s'est pas soucié de me les présenter. La contrariété, l'ennui consubstantiels à mes jeunes années en auraient été éclaircis. Le grès embouti, les schistes pliés, l'espèce de sinistre où je me trouvais pris n'auraient pas été moins fâcheux. Mais ç'aurait été normal, me sachant autre, en pays étranger.

Il était dans la nature de mon père d'endurer sans parler. Le silence fut son ultime sauvegarde. Évoquer une chose revient à lui ouvrir l'enclos où l'on est, si peu que ce soit. Elle tend à prendre toute la place et il n'y a plus rien. Cette précaution, les petits atrabilaires avec lesquels j'ai partie liée l'observaient non seulement pour se protéger des atteintes du monde extérieur mais pour couvrir leurs chétives aspirations.

Leur expérience désastreuse, qui ne fut jamais qu'une version personnelle de la tragédie à quoi s'apparente la première moitié du xxᵉ siècle, leur faisait considérer leurs vœux, même les plus modestes, comme autant de chimères que la réalité, si elle les devinait, saccagerait de son talon de fer. La marche des événements, s'ajoutant à l'effet déprimant du site enfoui, infertile, avait engendré un pessimisme total, une inaptitude définitive au bonheur. Il était plaisant d'imaginer qu'il puisse en aller autrement. J'ai compris ça très vite. C'est sans doute la première chose que j'aie comprise. De sorte que lorsqu'il m'arriva, un peu plus tard, de ne pas me résigner au pire, de vouloir le contraire, ce fut, à mon tour, sans le dire, sans presque m'en ouvrir à moi-même. C'est au sein de l'obscurité, lorsque tout dormait, que j'osais accueillir des pensées agréables, espérer.

De jeunes morts chuchotant à la veille d'une guerre ont eu raison de mon petit dessein. Je me demande si mon père a gardé le silence sur les siens, qui d'ailleurs ne lui appartenaient pas en propre, parce que c'était sa façon de tenir à l'écart les dieux jaloux, parce qu'une loi qu'on ne discute pas met le présent à la discrétion du passé ou bien parce qu'il a craint que je ne refuse. On ne sait pas qui l'on est mais on sent bien que la place n'est pas libre, le choix indifférent. Il y a quelque chose avec quoi il faut compter, des antécédents ignorés, inéluctables, une profondeur vertigineuse au creux des instants. Des âmes s'entremêlent à la nôtre, sont elles quand nous n'avons pas encore fait réflexion que nous sommes. De même que j'ai regardé mon père comme l'otage d'une foule malheureuse à laquelle j'ai tenté sans succès de l'arracher, de même a-t-il dû identifier quelques personnages que je prolongeais à mon insu, et qui n'appartenaient pas à son côté. Il a fait en sorte de les prendre de court, estimant, à juste titre, qu'il était celui dont la lignée appelait réparation en priorité pour avoir essuyé les plus amers préjudices.

Il a pris ses dispositions tandis que j'étais occupé à régler nuitamment le détail des jours où je ferais enfin ce que je voulais. Il suffirait pour cela de gagner la réalité qui commençait un peu plus bas après avoir travaillé par tous les moyens, dont le plus simple, le plus sûr, était de n'y pas penser, à repousser celle où, par erreur, j'étais tombé. Je ne balançais plus qu'entre une existence de stylite sur quelque hauteur extasiée de la Bouriane et le repos fastueux que dispensent les vallées.

Je me rappelle avec une netteté parfaite la dernière Pentecôte que j'aie passée à Brive. Je révisais. Il faisait un temps radieux. Les jours imminents auxquels je me préparais semblaient déjà me visiter. La lumière, à la fenêtre, était comme un envoyé de la fête prochaine. J'ai demandé à celui que je serais, à la même heure, l'année suivante, d'avoir une pensée pour celui qui sacrifiait une dernière fois aux tristes soins de la vie antérieure. Celui-là irait librement le long de la Dordogne ou du Lot tendus de ponts de fil, pareils à des harpes, dans le matin, ou bien il regarderait la lumière mûrir sur les vergers à prunes, de quelque pièce fraîche, garnie de volets bleus. Cela continuerait l'année d'après et toutes celles, encore, dont je disposais, si bien que, pour inégal que nous soyons à la splendeur du monde, j'y aurais participé dans toute la mesure où le permettent notre court empan, notre brève saison.

Pendant ce temps, mon père agissait, à sa manière couverte, muette, désespérée. Il ne gardait, je l'ai dit, aucun souvenir de son père. De sa mère, il a très peu parlé. Il a dit un jour, en ma présence et comme incidemment, qu'elle aurait aimé le voir professeur. Bon fils, plein de remords, il était venu à résipiscence. Mais il n'était plus temps. C'était la guerre. Il expérimentait, aux frontières de l'Alsace puis, à reculons, dans la Lorraine, les effets du Blitzkrieg sur une armée piétonnière qui accusait, à l'instar du pays, une génération de retard sur l'événement. Le ciel lui était littéralement tombé sur la tête. Avant d'avoir compris ce qui lui arrivait, il s'était retrouvé derrière les barbelés d'un Feldlazarett où il avait soigné des tirailleurs marocains rongés par la fièvre hectique. Les personnels de santé avaient bénéficié d'un élargissement anticipé. Il était rentré à point nommé pour assister sa mère agonisante, lui administrer de la morphine qu'il se procurait je ne sais comment. C'est peut-être à son chevet, dans l'ombre funèbre, qu'il avait promis d'obéir, désormais, d'accomplir son souhait. Comme l'occasion, pour ce qui le concernait, était passée, il m'avait confié cette tâche sans toutefois juger bon de me le notifier. L'aurait-il fait que j'aurais été fort en peine de me prononcer. Je n'étais pas encore né. J'attendais mon tour dans la mystérieuse antichambre où nous sont assignés une résidence qu'on découvrira, ou non, en arrivant, des choses qui sont bonnes, les soins qui excèdent la durée d'une vie, à l'avancement desquels nous sommes préposés. Quelques décisions subalternes, une ou deux alternatives mineures jettent une couleur de liberté sur l'affaire. Mais les tenants et les aboutissants nous échappent. Il n'y a guère que le ton, les tournures explétives qui soient laissés à l'improvisation. On peut, si on le souhaite, garder le silence et comme s'absenter. C'est ainsi que mon père a procédé.

Je savais quoi faire, où me porter, d'autant mieux que j'en étais empêché. Je ne me souviens pas d'avoir vu, dans le vestibule, la défroque du Topaze qu'une jeune femme et son époux y auraient accrochée au soir de la Belle Époque. J'avais seize ans, maintenant. Je touchais aux initiatives plus ou moins facultatives à quoi se ramène notre contribution. Il s'agissait de résoudre mon petit dilemme, de rapprocher l'incandescence de la Bouriane des profondes chambres vertes tendues de reflets, les deux moitiés de mon cœur. Il y a un temps pour déplorer l'étroite finitude, l'insécabilité qui nous incombent, l'embarras qu'elles nous causent, un autre pour essayer de les contourner. Je répondrais aux deux invites. Je me suis rendu discrètement à la gare. J'ai étudié les correspondances, noté des horaires. La nuit, je reprenais mes calculs. En sautant d'un autorail dans un petit train et, de là, dans un car à galerie et malle arrière, je me croyais capable d'occuper presque simultanément les deux endroits distincts nécessaires à mon repos. Celui-ci consisterait, pour partie, à galoper de l'un à l'autre, mais je m'en moquais si j'obtenais, à ce prix, l'ubiquité partielle qui m'était prescrite.

Les jours de ce printemps où je me suis tenu au seuil de la seule vie que je sache me sont présents parce qu'elle est restée inaccomplie. Ensuite, ce furent le bac, les épreuves orales à la préfecture par un jour éclatant, d'abord, et bientôt étouffant, orageux. Je me disais, au retour, que l'existence malencontreuse qui durait depuis le commencement venait de prendre fin.

Mais c'était si surprenant, si facile, surtout, que je n'y croyais pas.

Mon sort était scellé sans que je le sache. J'aurais dû me méfier. Aussi loin que je remonte, il y avait des complications. Tout réel était marqué au coin de la contrariété. Pas plus que je n'avais cru devoir donner la moindre publicité à mes vues, mon père ne s'est senti tenu d'exposer les siennes, qui étaient celles de sa mère. Un passé enténébré, trahi, réclamait, pour aboutir, ce temps — le présent — que j'ai cru m'appartenir. Avant l'examen, d'abord. Je rentre de la bibliothèque où je suis, le samedi après-midi, à me noircir les doigts aux livres flétris que j'extrais sans ordre ni méthode des rayonnages de chêne. Je me suis arrêté devant le jardinet inculte d'une maison à l'abandon où fleurit un magnolia. Il figure en bonne place dans la liste des antidotes que j'ai dû chercher à l'incompatibilité sentie entre ce dont j'ai besoin et ce que j'ai trouvé. Elle comprend encore le lit de la rivière entre le pont Cardinal et l'ancienne passerelle, un itinéraire de fuite bleu, mouvant, toujours ouvert, certain petit marronnier pugnace, dans un parc envahi d'herbes folles et d'orties, dont les bourgeons poisseux, brunâtres, écailleux libèrent quoi qu'il advienne leurs adorables pousses vertes au premier jour du printemps, un boqueteau de pins, sur le versant méridional de la cuvette, au troisième virage que prend la

31

nationale 20, un mur au parement soigné dont la pierre semble tenir captif, même aux jours de pluie, un rayon de soleil, le tronçon de voie ferrée qui se détache de l'axe Bordeaux-Lyon pour obliquer, par-dessus la vallée de Planchetorte, vers le midi. Je me dépêche. Je suis presque arrivé lorsque je manque de heurter mon professeur de lettres à l'angle de la maison. Sourires contraints, politesses confuses, de ma part, à quoi répond l'affabilité distraite de cet homme qui cultiva, à sa façon, raffinée, publique, l'absentéisme que je pratiquais sauvagement, en secret. Des sages de l'ancienne Chine, il avait le teint frais, l'œil étroit, le léger embonpoint, la science ésotérique. Célibataire, il exerçait un distant et bénin magistère au lycée, nourrissait une gazelle que son frère, prospecteur de pétrole, lui avait rapportée de Gassi Touil et lisait Sophocle dans le texte, près de sa vieille mère. Lorsque j'osai, plus tard, suggérer que ça s'était passé loin, voilà longtemps, il se borna à plisser légèrement sa paupière mandarine en exhalant un lent filet de fumée et ne répondit point. Il ne semble pas que l'immédiateté grise, l'anachronisme d'un siècle ou deux que nous partagions aient trouvé d'écho dans son âme peuplée d'Atrides qu'une gazelle venait, par instants, légèrement égayer. Qu'il sortît de chez moi quand je rentrais ne me vint pas à l'esprit et mon père, selon son habitude, ne vit pas l'utilité d'en parler. J'ai donc continué à régler l'emploi du temps que j'aurais, après, jusqu'au jour limpide, d'abord, puis menaçant où je rentrai de la préfecture sans deviner les présages au ciel brusquement assombri.

Ce furent les vacances. On m'a mis au fait vers la fin du mois de juillet, le soir, pour ne pas me gâcher la journée. C'est bien de la maison que sortait le lettré fourvoyé sous le ciel occidental, avec ses Grecs et sa gazelle, et c'était pour m'expédier aux antipodes du point que je m'étais fixé, c'est-à-dire à Limoges où je devais m'estimer heureux qu'une classe préparatoire vînt d'ouvrir, sans quoi c'est à Clermont-Ferrand, deux fois plus loin, que je me serais retrouvé. Savoir ce que j'étais censé fabriquer au pays de la porcelaine, il n'en fut pas autrement question ce jour-là et je ne m'en souciais pas. J'ai mis la nouvelle au compte de la contrariété coextensive, aux nuits près, à la réalité. J'avais pris l'habitude de composer, d'être ailleurs aussi longtemps que je m'étais regardé comme une bizarrerie inexplicable. Puis je m'étais préparé à regagner l'endroit réel où tout redeviendrait normal, accordé. J'étais privé depuis toujours de l'élémentaire satisfaction qui s'y attachait. Le cours des événements avait bousculé l'ordre des successions et des permanences, effacé les mots, la mémoire consciente de ce qui avait précédé. L'ambition limitée d'un couple depuis longtemps défunt planait seule, irréalisée, sur le vide et le silence.

J'ai pris le parti de patienter un an, que cette complication inopinée se dissipe d'elle-même, comme d'autres que j'avais crues insurmontables, à d'autres époques, s'étaient évanouies, le temps aidant. Quoi qu'il advienne, je possédais au suprême degré la faculté de m'absenter. Pas d'endroit auquel je ne pusse me soustraire, d'autant plus vite et complètement qu'il me déplaisait.

C'est avec cette disposition éprouvée que je suis parti, un matin de septembre, faire par le nord un crochet que me precrivait le passé. J'accordais une année de plus à ce qui m'était contraire depuis le début. Ensuite, je vivrais pour mon propre compte. André C., mon professeur, avait fréquenté, au même âge, le même endroit. Que ce fût, pour ce qui le concernait, à Clermont, n'y changeait rien. C'était le même édifice en pierre noire ou grise, baigné de la même lumière morte où l'on servait la même pitance intemporelle à des jeunes gens transférés de leurs humides oubliettes dans l'in-pace de l'internat. André C. avait-il rêvé ? Je l'ignore. L'étreinte du monde réel, de ce qui en tenait lieu, restait suffocante lorsque, trente-cinq ans après lui, j'en avais fait l'essai. Elle a dispersé les images que je lui opposais, annulé mes petits calculs. Mais elle n'a pu m'empêcher de les envisager, d'y travailler. Les jours que j'ai passés à son contact et, vers la fin, une bonne partie des nuits, je les ai traversés, les yeux ouverts, dans un rêve éveillé. Je n'étais pas chez moi dans mon pays natal. André C. avait des attaches sur le bord du département, où la lumière du soleil entre un peu, déjà, dans ses porches pluvieux. Mais il ne m'a jamais semblé se sentir autre, d'ailleurs. Si pareil sentiment l'effleura, il dut le chasser. Il entra de plain-pied dans l'hallucination érudite, cruelle, qu'il eut sous les volcans, et fit des rois aveuglés, des héroïnes rebelles et des titans hécatonchires sa principale fréquentation. Quant au cirque de grès bis, aux vivants, aux fournées d'élèves, dont je fus, à l'heure qui tournait, comme à regret, au cadran de l'histoire, ils ne surgissaient plus, j'imagine, qu'à la façon de vagues promontoires à travers la fumée léthéenne de ses Players.

En cela, il fut de son temps, comme nous tous, c'est-à-dire de l'âge très ancien qui stagnait dans l'humide cuvette. Il avait pu — c'était déjà beaucoup — se représenter des endroits différents par le moyen de livres antiques. Il s'y était transporté, en l'absence de liaison entre les choses prochaines, les renfrognées, les muettes et puis — comment dire ? — l'idée claire, les mots tout simples, sans doute, qui leur étaient appropriés et, tragiquement, nous manquaient. Afin de complaire à des gens qui ne m'en sauraient aucun gré puisqu'ils étaient morts, j'allais donc sacrifier à des chinoiseries auxquelles je resterais aussi extérieur que possible. Après quoi je serais habilité à demander ma liberté.

Je m'attendais à rencontrer les personnages peu vraisemblables, les légendes deux fois millénaires que rien, dans la réalité, n'empêchait de lui préférer. Et de fait, ils furent au rendez-vous. Ils figuraient encore au programme. Les conditions se trouvaient toujours réunies pour qu'on parlât sa vie durant des langues mortes dans un repli du piémont limousin. Le professeur de lettres, à Limoges, avait été le condisciple d'André C., en Auvergne. Il était resté vieux garçon et vivait, comme lui, sous la tutelle d'une vieille mère. Comme lui, il n'avait pas vu l'intérêt d'apparier son latin et son grec avec le paysage à peine moins inculte, moins sombre de la Haute-Vienne. Il ne m'aurait pas autrement convaincu de quitter la réserve que je pratiquais depuis le début à l'endroit conjoint des choses et des récits qui s'y rapportaient lorsque, d'aventure, on nous racontait quelque chose. Ils avaient quitté leur petit pays, appris, à l'ombre des puys, de brillantes fables, secoué l'empire des lieux étroits où s'attarde une heure dépassée. Mais ils n'avaient pu le rompre. Ils étaient retombés sous sa coupe et payèrent leur audace d'un curieux exil. Ils vécurent en pensée sur des îles de marbre, vagabondèrent sous des chênes murmurants, parmi les dieux rieurs et les héros porphyrogénètes tandis que se refermait sur eux le cercle des ravins, du mauvais taillis de châtaignier.

Je venais après. J'étais d'ailleurs et j'entendais y retourner. Je n'avais pas la moindre envie de troquer une séparation pour une autre, de chimères, de papier. J'avais fini par identifier ce que je voulais. Il n'était pas question de rester indéfiniment dans le giron maternel, si tentant que ce puisse être, de payer d'une enfance solitaire, éternellement prolongée, le contestable privilège d'être lettré. J'avais dix-sept ans et la ferme intention d'obtenir la part de félicité à laquelle des êtres finis, passagers — j'avais entrevu ça, aussi — peuvent raisonnablement prétendre. Si l'exil aggravé où l'on m'avait jeté me devenait insupportable, je dépouillerais la blouse grise que j'avais enfilée le jour de la rentrée, bouclerais ma valise et me proposerais comme remplaçant n'importe où sur les blanches terrasses où l'automne dorait les vignes et les vergers.

L'entretien que j'ai eu, à la Toussaint, avec André C. se serait-il produit un mois et demi plus tôt, juste avant mon départ, il serait resté sans effet. Avec tout le respect qu'il m'inspirait, je ne lui aurais rien cédé. J'acceptais de donner une année supplémentaire aux mânes d'une femme que je n'avais pas connue. Elle avait été malheureuse. À cause de ça, sans doute, elle était morte jeune, son rêve inexaucé, le fils indocile, entêté cherchant dans le mortier quelque remède à l'excès de bile noire au lieu de gagner à pas lents sa chaire en veston croisé, lunettes rondes et gants beurre-frais. J'étais parti avec l'idée de livrer une ultime portion de mon temps aux réclamations d'un passé auquel je ne me sentais lié ni explicitement, de vive voix — tout était fini quand j'étais arrivé —, ni intimement, dans cette profondeur où quelque chose qui nous dépasse nous requiert et c'est nous, cette part de notre être qui excède notre petit moment, dont les accidents, les hasards ne sauraient altérer la nature, brouiller les contours.

Seulement, je venais de faire, à Limoges, une découverte dont les conséquences étaient doubles. Elle m'obligeait à reconsidérer l'avenir que je me promettais et qui n'était qu'un retour du passé. En outre, elle conférait des échos insolites aux légendes que nos prédécesseurs avaient prises au-dehors et préférées, lorsqu'ils étaient rentrés près de leur mère, à la matière prosaïque de la vie. C'est elle qui m'a fait tendre l'oreille lors de l'entretien que j'ai eu, avec André C., début novembre. Il revêtit le même caractère inopiné que la rencontre du printemps, à l'angle de la maison, sauf que celle-ci m'avait paru fortuite, sans rapport avec les petits projets qui m'occupaient, alors que celui-ci les touchait en plein et qu'il m'était impossible de l'ignorer.

J'avais quitté, la veille au soir, l'édifice aux

allures de prison, de couvent où toute chose semblait taillée dans le sombre, les murailles, le mobilier, la blouse de coton qui était d'uniforme, l'odeur de poussière, de papier, les heures, les pensées, la nourriture, même, qu'on nous servait. Après six semaines ou sept, je comptais retrouver l'univers que nous avions laissé à la porte, le jour de la rentrée. Mais sous l'effet de quelque maléfice, la pénétrante grisaille où nous avions été plongés au déclin de l'été semblait avoir passé en nous pour, de là, rejaillir sur le monde entier. J'avais apporté du travail mais je ne cessais de tourner la tête vers la feuille de plomb clouée, aurait-on dit, à la fenêtre, attendant qu'on l'enlève, que reviennent la clarté, les couleurs en allées. La matinée s'avançait. Mon père a appelé, de cette voix que je lui ai entendue deux ou trois fois, peut-être, neutre, impersonnelle, où résonnaient celles des ombres inapaisées, invisibles, pour moi, qui l'environnaient. J'ai quitté la chambre, sous les toits, où j'avais tant rêvé, dévalé l'escalier.

André C. était là. Il avait posé son manteau. Il portait le costume trois-pièces et la cravate discrète qui avaient remplacé la tenue voyante, artiste, du corps professoral des lycées de jadis et polissait les verres de ses lunettes à monture dorée, comme s'il avait eu à examiner quelque chose de particulièrement délicat. Il s'est installé dans l'un des fauteuils verts jumeaux. Mon père, au lieu d'occuper l'autre, s'est assis en retrait, sur une chaise. Je me suis glissé derrière la table, lorsqu'on m'y eut invité, et j'ai attendu. La même feuille de métal terne obturait les fenêtres de la grande pièce. On sentait le froid du dehors à travers les murs. Je n'arrivais pas à prendre mon parti de la saison morne où nous étions entrés avec un mois d'avance et qui avait, dans l'intervalle, conquis le monde.

J'ai répondu par monosyllabes à quelques questions préliminaires. De ce dont je venais d'avoir la révélation, je me suis gardé de rien dire. C'était si nouveau, si contraire à l'oppression, à l'impatience, à l'envie de fuir qui m'étaient habituelles que je n'étais pas trop certain d'avoir bien compris. J'ai supposé que les deux hommes assis en face de moi n'auraient pu m'entendre, même si j'avais réussi à m'expliquer un peu. De la conversation qui suivit, et qui tenait du soliloque, il ressortait que le rite expiatoire auquel j'avais bien voulu consacrer quelques mois, les derniers, était l'affaire de chaque instant, de nombreuses années. La voix lente, égale, dessinait devant moi l'interminable succession de travaux et de veilles qui aboutirait à l'univers mythique qu'André C. habitait, seul, de toute la contrée. Je l'écoutais. Il n'était pas en son pouvoir de me faire douter qu'une vie paisible, la mienne, s'écoulait en mon absence, au loin, ni de rendre désirable celle, érudite, retranchée qu'il avait embrassée. Si je prêtais la plus grande attention à ses propos, les longueurs de l'étude, l'effort sans relâche, la réclusion, c'est que ceux-ci étaient aussi la rançon de l'idée que j'avais trouvée à Limoges, sur le tard. Elle tenait en trois mots. Elle revenait à affronter, pour la percer — au lieu de rêver, d'esquiver —, la réalité.

J'ai frémi, en ce froid dimanche d'hiver, déjà, devant la perspective que traçait la voix docte, un peu lente du fauteuil vert, à contre-jour. Elle empiétait sur le pays ouvert, indéfini où j'avais pensé bientôt entrer. Je n'ai pas ouvert la bouche. Mon père, sur sa chaise, observait un silence profond, comme religieux. Avec de meilleurs yeux, j'aurais vu près de lui, debout, attentives, approbatrices l'ombre vague du grand gars, disparu cinquante ans plus tôt, qui avait été son père et celle plus précise, meurtrie, frêle mais pour la première fois, peut-être, souriante, de sa mère. Il s'acquittait de l'obligation qu'il avait éludée quand c'était le moment. Qu'un tiers en eût la charge n'était pas pour le troubler et je serais mal venu de lui en tenir rigueur, sachant bien, de mon côté, que mon premier et principal souci, je le tiens d'êtres anéantis, en apparence, qui me pressent du fond du temps de regagner leur demeure. Je ne sais plus ce que le monologue a duré. Le jour semblait figé comme du plomb. Entre deux parties du tableau qu'il brossait à la sépia, me semblait-il, avec de fines inscriptions en noir comme on en voit aux peintures chinoises sur soie, André C. allumait une Players. Elle se consumait entre l'index et le pouce de sa main charnue aux ongles très soignés, pas très longs, pas démesurés. La fumée s'étageait en écharpes bleutées, ébauchait des figures qui se transformaient avant qu'on ne les ait reconnues. Lorsqu'il s'est tu, la pièce était comme encombrée de jours studieux, d'années mortes, à perte de vue.

Je ne crois pas avoir mesuré, dans l'instant, les séquelles de cet instant, le poids des paroles — le silence de mon père valait un long plaidoyer — que me tenaient deux hommes faits. Le séjour de la dépression circulaire aux tons éteints, de vieux cliché, avait une vertu, l'envers, si l'on veut, de la douleur vague qu'on éprouvait lorsque, comme c'était mon cas, on n'en était pas. On en tirait la force, justement, d'y rester, de demeurer soi-même, un rêve, une absence effective, sentie, quand tout s'y opposait. C'est d'une voix égale, d'un air anodin que j'ai remercié, l'entretien terminé, au lieu de me lever en renversant la chaise et de courir aussi loin que mes jambes me porteraient.

André C. me regardait de son œil étroit, un peu bridé, et mon père et tous les autres, que je ne voyais pas, qui le flanquaient. J'ai fait en sorte qu'ils ne puissent soupçonner que derrière l'immobilité déférente que j'observais, je me bagarrais comme un chiffonnier avec la foule qu'on est tous, le passé qui nous hante et réclame, le destin qu'ils nous dictent. Un mouvement de la révolte qui m'agitait a-t-il troublé la surface ? André C. a concédé que c'était une période difficile. Lui-même avait trouvé pénible, parfois, de rester enfermé avec ses grammaires, ses classiques pendant que les étudiants de la faculté fréquentaient les cafés, sortaient les filles. Il n'a pas ajouté — y a-t-il songé ? — que, lorsqu'il avait enfin levé le nez de ses grimoires, elles étaient depuis longtemps mariées, à moins qu'il ne se fût jamais avisé qu'elles existaient, hormis les princesses viriles, pleines d'exigences et d'imprécations. Il réendossait son manteau avec les gestes lents, un peu gauches qui étaient les siens, quoi qu'il fasse, comme s'il avait eu le temps, toujours, ou qu'il n'y fût jamais entré, n'eût jamais éprouvé sa poussée impétueuse, sa fuite irrépressible, ses chances précaires, disputées. Je m'étais levé lorsqu'il s'était extrait du fauteuil vert, s'était remis à exister. Je n'étais pas en train de galoper les coudes au corps dans l'air froid du dehors, comme chaque mot qu'il avait prononcé me poussait à le faire. Il a demandé si je me faisais maintenant une meilleure idée de ce qui m'attendait. J'ai hoché la tête en serrant, pas très fort, la main qu'il me tendait. La nuit a remplacé le jour blême, étale. Le lendemain, nous sommes allés sur les tombes de mon père. Celles de ma mère étaient trop éloignées pour leur rendre visite et revenir dans la journée. Il n'y avait que son père pour reposer dans la terre froide, près de nous. Le jour suivant, j'ai rassemblé mon petit bagage et repris le train de Limoges.

Ceux, très rares, de la génération précédente qui avaient tenté une sortie avaient fait demi-tour. Quand André C. avait regagné son point de départ, il s'était établi dans son texte grec, comme sous quelque tente, avec des personnages de papier, seul, au sein de la réalité retombée, intacte, improférée. J'avais bien cherché, quant à moi, fréquenté assidûment la bibliothèque municipale. Les relations de voyage et de découverte me procuraient un dépaysement violent et licite, de surcroît. Lorsque je relevais la tête, vers sept heures, à la fermeture, j'avais oublié. Des siècles avaient passé. Je revenais d'immensités. J'espérais aussi, sans le dire, mettre la main sur le récit allégorique ou littéral qui énoncerait de quoi il retournait. Longtemps, j'ai supposé qu'un volume au titre déconcertant, imprévisible, perdu parmi ceux qui se rapportaient invariablement à ce qui s'était produit avant, ailleurs, aux deux, le plus souvent, me livrerait la clé du lieu même, de l'instant où je lisais. Je ne l'ai pas trouvé.

Si personne ne possédait d'ouverture à ce

sujet, pas même mon professeur qui avait rapporté de Clermont-Ferrand les livres rares, la sagacité divinatoire des anciens mandarins et jusqu'à leur paupière oblique, alors c'est que le monde enfoui, cerné d'obstacles, palissé de bois, était fermé, aussi, aux approches de la parole, de l'écrit. Ce n'était pas qu'on vécût sans phrases, bien au contraire. Au voisinage de l'Aquitaine, le tempérament local, qui était âpre et taciturne, contractait une exubérance, une volubilité toutes gasconnes. Après la désolation du plateau granitique, le vide des gorges froides et des pentes boisées, la cuvette exhalait une rumeur profuse, légèrement chantonnante qui annonçait le Midi. Mais celle-ci participait de la séparation physique qui pesait encore. Elle était sans rapport avec rien, naïve et vantarde, tout juste bonne à s'étourdir, à oublier, si toutefois on le soupçonnait, combien notre relégation était grande. J'ai cru, jusqu'à dix-sept ans, qu'une étrangeté invincible s'attachait à nos vies.

Pour être juste, il m'est bien arrivé de rencontrer comme un reflet aux pages que je lisais, la tête dans les mains, tout l'après-midi, à la bibliothèque. Il avait existé des lieux un peu semblables, des heures presque analogues, de l'ennui, le désir de fuir. Quelque chose de familier flottait sur les noirs caractères. J'humectais mon doigt pour faire glisser le papier racorni, squameux. J'allais voir enfin les puissances ennemies sans voile, apprendre leur nom. Il semblait sur le point d'être prononcé. Il approchait en suivant les lignes, s'apprêtait au verso mais, au dernier moment, se dérobait. La faute n'en incombait pas aux livres mais à notre particularité, trop ensevelie, trop exiguë pour affleurer au seuil du dicible. On ne la trouvait imprimée nulle part et il n'était même pas dit qu'elle ne l'était pas.

Et les choses mêmes, me dira-t-on, plutôt que d'en chercher l'ombre sur le papier ? J'ai essayé, aussi. Puisqu'il était de leur nature de nous nuire confusément, l'idée m'était venue, tôt, de les provoquer. On procède ainsi avec les maladies dont l'allure imprécise défie le diagnostic. On s'abstient d'intervenir. On leur laisse le champ libre. Elles s'enhardissent, manifestent sans fard quelles elles sont et l'on peut alors y remédier si, bien sûr, elles ne sont pas incurables. Au lieu de résister pied à pied à je ne sais quoi d'imprécis et de vaste qui m'était hostile, je m'exposais, lorsque j'en trouvais le temps et la force, à son action directe. Ce n'était pas difficile. Il n'y avait pas loin à aller. Passé les dernières maisons, à mi-pente, les jardins ouvriers plantés de cabanons en planches, de draisines réformées, de choux, de groseilliers, on touchait du doigt l'assise grossière, rougeâtre, suintante. Le taillis, la friche maigre, le silence disaient quelque chose mais c'était en silence, justement, et quoique

46

j'aie tendu l'oreille, scruté le désagrément que j'éprouvais sur cette frontière, je n'ai pas trouvé. Je n'ai pu découvrir à quels viscère, appareil, partie de l'âme ils portaient atteinte, non plus que la vie basse, dans les rues étroites où les lampes jaunes, anémiques s'allumaient.

Limoges n'offrait pas de recul significatif. C'était toujours la houle granitique du massif ancien, les lambeaux de forêts, la brande, les petites villes éparses dont les toits d'ardoises semblaient luire, même aux beaux jours, sous la pluie. Ce que j'en voyais se ramenait, du reste, aux flèches de la cathédrale, à quelques cheminées dépassant les vitres du bas, en verre dépoli, de l'étude, au troisième étage. On y remontait directement après les cours, qui avaient lieu dans une salle étroite, mal éclairée, du rez-de-chaussée, avec de hautes grilles de fer derrière la fenêtre. Dès la mi-novembre, la nuit était tombée. On se remettait au travail sans respirer. Il y en avait tellement qu'on ne savait plus où donner de la tête. Je n'avais même pas une minute pour songer aux heures que j'aurais dû passer à deux cents kilomètres de là. Je m'acquittais d'une dette que je n'avais pas contractée. Quand le maître d'internat frappait deux fois dans ses mains, nous gravissions un étage supplémentaire pour gagner les combles où se trouvaient les dortoirs ainsi que des réduits où l'on pouvait, si on voulait, travailler encore, poursuivre sa veille. Puis c'était le lendemain, la même nuit, le troisième étage, le rez-de-chaussée, les mêmes histoires qu'André C. avait avalées sans sourciller dans un lieu identique et si bien faites siennes qu'il vivait depuis lors parmi les hoplites aux belles cnémides, les Atrides, et voguait, dans l'intérieur des terres, sur la mer couleur de vin.

L'espace d'un mois, j'ai songé le plus sérieusement du monde à quitter l'établissement sans préavis ni explication pour gagner d'un pas résolu la gare aux quais souterrains. Je descendrais à Cahors et j'entreprendrais la tournée des petites écoles jusqu'à ce que je trouve celle qui avait désespérément besoin d'un remplaçant. Je n'aurais même pas besoin d'endosser une blouse grise. J'aurais gardé celle que nous portions et je saurais bien marcher de long en large à travers une cour de récréation. Mais toute malgracieuse et bossue, peu visible, au demeurant, derrière le carreau, que fût Limoges, elle régnait sur trois départements et le plus misérable d'entre eux, la Creuse, en l'occurrence, y avait délégué, cette année-là, quelques brillants sujets qui, fidèles à leur pays de jacqueries, travaillaient à parfaire non pas, comme c'était la vocation de la classe où nous venions d'entrer, l'étude des langues mortes et de l'histoire ancienne mais la connaissance du monde réel, derrière les murs, qu'ils avaient l'intention, à la première occasion, de changer par tous les moyens. Les paroles que j'attendais en vain depuis dix-sept ans de la part d'un adulte ou, à défaut, d'un vieux livre, c'est de la lèvre à peu près imberbe, encore, de gars de mon âge qu'elles sont tombées. Bien sûr, ce n'est pas l'explication du triste lot que nous partagions, à quelques nuances près, qu'ils m'ont livrée. Ils ne descendaient pas à pareils détails. Ils sortaient de la Creuse, qui n'a pas de communication avec le pays sur lequel une munificente main a déversé des cornes d'abondance après l'avoir nivelé avec soin, blanchi, fleuri, tuyauté de coiffes romaines, éclaboussé de soleil. Ils avaient quitté sans un regard ni un regret la Marche et la Combraille. Le foyer rougeoyant, mobile, inextinguible de la contradiction absorbait leur attention. Ils tenaient pour négligeables aussi bien les vestiges de la petite propriété parcellaire que les impérialismes croupions, leurs laquais de tout poil et leurs cliques.

L'enfoncement, la séparation, en nous privant d'aperçus, des premières notions, nous tenaient sous leur coupe. Quelques audacieux avaient bien passé la muraille, importé des récits. Mais ils n'avaient pu en modifier les termes, l'ancrage. Aussi vivaient-ils comme nous, étrangers à toutes choses, à eux-mêmes, distraits, ailleurs, sur la mer fictive, sous d'antiques futaies, enveloppés de fumées. De cela, j'avais inféré que personne, nulle part, n'avait plus d'accès à ce qui se passe vraiment et nous affecte personnellement. Il n'y avait, pensais-je, que nos rêves, et ils se valaient tous, les plus simples, qui nous viennent spontanément, sur place, comme les plus élaborés, les plus savants, qui fleurissaient ailleurs, puisque en tout état de cause le monde s'était refermé, les chênes, tus, et l'eau et le rocher. Telle est à peu près la conclusion à laquelle j'étais parvenu à dix-sept ans passés.

Le premier démenti à l'évidence, ce furent les assertions péremptoires de gars de dix-huit ans rassemblés dans un réduit, sous la clarté chiche d'un chien-assis. Par quels canaux leur était parvenu le bruit du monde, quels murmures couraient sous leurs châtaigneraies ? Ils ne s'en expliquèrent pas. Ils considéraient avec un sérieux très supérieur à leur âge ce qui se passait sur la terre, dont ils entendaient bien modifier le cours. Je leur dois la plus haute espérance qu'on puisse concevoir, qui est, serait de comprendre un peu ce qui nous arrive après que toute notre expérience nous a persuadé que cela ne se peut, qu'il n'y a que nos songes, qui sont équivalents et, quant au fond, ne valent rien. Ce n'est pas tout. Leurs voix juvéniles, catégoriques, donnaient un prolongement inattendu aux directives d'André C., un sens exaltant à l'accablante leçon de novembre. La réclusion, le labeur continuel, les années qui menaient, comme à reculons, dans le passé mythique où il m'invitait à le suivre pouvaient conduire à l'opposé, au présent, à la réalité. Mes petits camarades invoquaient les adages d'un mandarin d'une nouvelle espèce à l'appui de leurs dires, désignaient des forces motrices — le vent d'est et le vent d'ouest —, de vastes entités aux prises derrière les murs épais du lycée. Et j'ai songé qu'il existait peut-être aussi des termes plus humbles pour les choses petites et tristes au creux desquelles j'avais pratiqué l'absence, désespéré d'être fixé.

À côté du projet de fuite, un autre s'est dessiné, timidement, celui de me les procurer, où qu'ils fussent. Et alors, je saurais ce qui s'était passé à notre insu. Je serais libre, si les mots ont bien le pouvoir de rompre l'emprise que les choses exercent d'emblée sur nous et conservent aussi longtemps qu'on n'aura pu, simplement, les nommer. Ce qu'il avait fallu abandonner, dès le début, je le reprendrais.

C'est ainsi que je me suis retourné vers le monde que je n'avais cessé de quitter, en pensée, lorsque je l'habitais. Je m'étais réfugié dans la nuit. J'avais préparé avec toute l'application dont j'étais capable les jours où je serais conformément à mon penchant, à l'injonction montée du temps. Et maintenant que j'avais grandi, qu'il m'aurait suffi de gagner froidement la sortie, une possibilité soudaine surgissait. Les pentes, les ronciers du commencement n'avaient peut-être pas définitivement triomphé. La difficulté

qu'ils opposaient aux pensées mêmes qu'ils inspiraient n'était peut-être que leur ombre portée dans cette dimension qui n'est que de nous.
Avec l'enfoncement dans les grès, j'avais quitté,
du même coup, le silence, les stupeurs qui en
étaient l'émanation, l'effet.

Le double et triple hiver limougeaud — celui
du dehors, celui de l'étude et des longs cor-
ridors, celui de l'espérance — m'a livré un ensei-
gnement majeur. Le présent avait un nom et
les cinq continents et les îles. Le premier mot
me manquait pour qualifier la seule réalité que
j'aie, sinon à proprement parler connue, du
moins endurée en personne. Mais il se tenait
sans doute quelque part, avec ses maigres, ses
noirs acolytes, et il valait la peine, si donc il se
pouvait, de mettre la main dessus.

Je me rappelle distinctement le soir de
novembre ou de décembre, déjà, où j'ai
repoussé les manuels, les dictionnaires qui
encombraient nos tables pour rêver, mais rêver
d'une façon neuve, à la réalité, aux jours que
j'avais passés, à Brive, à m'évader. Je n'ai pas
mesuré les conséquences que pareille volte-face
entraînait. J'ignorais la loi non écrite qui prescrit
de donner autant du temps à venir qu'on s'ef-
force d'en reprendre au passé et combien nous
sommes inégaux à la tâche et les abîmes qui
nous séparent de notre sens. On voyait mal, sous
les globes pareils à des lunes pâles, immobiles.

J'ai postulé que la zone restreinte, accidentée où je m'étais trouvé impliqué n'échappait pas au principe magnifique que mes condisciples appliquaient tout uniment, gaiement, au monde entier. S'il était permis de se porter en connaissance de cause à la hauteur des plus lointaines, plus importantes choses, je pouvais bien, de mon côté, interroger à nouveaux frais l'étroite cavité, les bois hargneux, le silence chagrin. Le temps que la réponse mettrait à parvenir, je n'en avais aucune idée. Cela dépassait sans doute le sursis d'une année que j'avais accepté d'accorder à des âmes en peine. Je ne savais pas à quoi je touchais.

À quel point l'éventualité d'y voir un peu plus clair me préoccupait, c'est le merle qui me l'a appris. Un soir que j'étais penché, comme à l'ordinaire, sur ma table, son chant pur s'est élevé dans l'air qu'on voyait encore, derrière la vitre, une longue boucle savante, dorée, et la saison a basculé. Le temps qui semblait arrêté dans les défilés s'est remis en marche. Puis ce fut avril. Mai s'est enfui, que j'aurais dû passer en fêtes sur de claires esplanades, dans des chambres de verdure s'il arrivait une fois, seulement, qu'on fasse ce qu'on veut. Les taupins, après les concours, s'étaient envolés. Restaient quelques élèves de math sup, plus ou moins démobilisés, et nous dont l'effectif était moindre et les vues fort diverses. Certains cultivaient l'amateurisme qui sied à l'âge où nous étions. D'autres allaient attaquer de plus sérieuses études, le droit, l'économie, après s'être frottés d'humanités. D'autres, enfin, brûlaient de regagner l'arrière-pays pour y attiser les contradictions secondaires. Des tables vides, des lits inoccupés parlaient de la fin de l'année. On n'allumait plus les globes. Un tilleul invisible embaumait la salle d'étude et jamais je n'avais été aussi indécis.

C'est le maître d'internat, qui ne songeait pas à mal, simplement à nous éclairer, qui m'a tiré d'embarras, un beau soir. Nous étions dans la salle d'eau, en pyjama, torse nu, à nous savonner, à parler librement. Il se tenait parmi nous puisque c'était son métier mais nous étions à peine une vingtaine, étourdis du jour brûlant qu'il avait fait, touchés de la douceur du long crépuscule, tranquilles, pacifiques. L'un d'entre nous s'est adressé, comme ça, au surveillant, et lui s'est départi de la réserve intransigeante qu'il avait pratiquée à notre égard depuis la rentrée. Il avait cinq ou six ans de plus que nous et préparait un diplôme de chimie, je crois. La conversation est venue sur l'avenir que nous envisagions. Chacun a dit ce qu'il comptait faire. Comme je n'en savais rien, j'ai continué mes ablutions sous la nourrice qui traversait la pièce. L'eau se déchirait à la sortie des robinets de laiton placés de part et d'autre, alternativement. J'entendais mal, dans le bruit d'averse. Quand je me suis reculé, le surveillant racontait à la confrérie des pyjamas qu'il existait — pas à Limoges, ailleurs, dans de plus grandes villes — une deuxième année à la fin de laquelle les élèves présentaient un concours. S'ils réussissaient, ils devenaient normaliens. Quelqu'un a dit qu'on avait ça, en Corrèze, à Tulle et lui que ce n'était pas tout à fait pareil. Ça se trouvait à Paris où l'on pouvait apprendre des choses qui n'arrivaient pas jusqu'ici, comme si certaines pensées, pour impondérables qu'elles fussent, participaient de l'encombrement, de la densité des matériaux les moins exportables, rochers, tourbières, brumes, arbres entiers, pourvus de leurs branches et de leurs racines, et qu'il fallût, si l'on souhaitait les voir de ses yeux, les toucher, se transporter à l'endroit où ils s'entaient.

Je me suis rapproché du cercle improvisé, en petite tenue, qui s'était formé. Le maître d'internat s'appuyait négligemment au long bac de tôle émaillée. C'était, à l'évidence, la fin de l'interminable hiver, des travaux ahurissants, de l'univers bizarre, vertical, sans ouverture ni agrément où nous étions entrés à la fin de l'été précédent. Le merle, sur une antenne de télévision, célébrait le triomphe du jour. Le parfum du tilleul était si fort, si précis qu'on aurait dû le voir. Quelqu'un d'autre a dit qu'il n'avait pas l'intention d'aller à Paris. Le surveillant a souri. Nous n'avions pas à nous inquiéter. Il y avait une cinquantaine de

places pour tout le pays et nous avons ri de bon
cœur. Parce que avec les aperçus révolutionnaires
que nous avions pris sur les contradictions, les
forces de progrès, l'impérialisme, tout ça, nous
gardions la conviction profonde, informulée, de
plus anciens partages. L'idée de concourir avec
le restant du pays, pour ne rien dire des gens de
Paris, était si saugrenue qu'on ne pouvait s'empêcher d'en rire, ce que nous avons fait sans ran-
cune, gêne ni acrimonie. C'est en riant que nous
avons terminé notre toilette et regagné le dortoir
où traînait un reste de clarté.

Je ruminais l'entretien inattendu, badin, de
la salle d'eau. Ce que le maître d'internat nous
avait dit, nous le savions. La preuve, nous avions
ri. Comme les autres, j'avais trouvé amusant de
seulement songer à se mesurer avec ceux dont il
était admis — nous avions lu Montaigne — qu'ils
savaient, qu'ils étaient puissants, qu'ils gouver-
naient le monde. Ils perçaient du premier coup
— nous connaissions Pantagruel et l'infâme
Panurge — l'imposture lamentable des écoliers
limousins. Sartre, qui entrait dans la soixan-
taine, nous tenait pour des croquants et Crocq,
d'où vient le mot, c'est en Creuse, au-dessus de
Felletin, dans les bois. À l'air que nous avions
respiré en naissant et qui nous avait fait l'âme
obscure se trouvait mêlé, je ne sais comment,
la prescience que le contraire, les lumières, qui
existent, sans doute, et à coup sûr nous man-

56

quaient, avaient été prodiguées aux habitants des plaines fertiles, des larges horizons, de la grande ville. Les mêmes parois rapprochées, douves, routes tortueuses qui nous masquaient le vaste monde nous empêchaient, simultanément, de nous voir nous-mêmes avec le recul qui nous aurait livré notre exacte mesure. Nous en avions pourtant une idée qui devait toucher à la perfection dans des esprits libérés d'entraves, à Paris, donc, et, dans sa perfection, se ramener à rien. L'admettre eût parachevé notre infortune. Nous avions assez à faire à tenir l'immédiateté en lisière, ses gorges, ses bois humides, son enfoncement. Aux rêves éveillés s'ajoutait l'ignorance délibérée, subreptice de certaines pensées qui nous concernaient parce que nous en étions l'objet et qu'elles nous annulaient. Nous évitions d'y penser. Mais lorsqu'elles tombaient dans la conversation, il était manifeste que nous en connaissions l'existence et elles dépassaient le peu de place que nous voulions bien leur ménager. Elles nous portaient un ombrage mortel et il ne nous restait plus qu'à rire de nous-mêmes, sans malice, tout savonneux, en pyjama.

À la fenêtre du dortoir, le bleu du ciel s'assombrissait lentement. J'aurais aimé n'être pas ce que le sort nous avait faits, n'avoir pas de ces pensées, prémonitions que nous nous efforcions d'oublier. Elles éclipsaient négligemment ce pour quoi on se prenait, se serait pris, plutôt, vu qu'alors je l'ignorais. J'espérais, seulement. Et la conversation sous les robinets, les convictions inavouées qu'elle avait fait remonter rendaient caduque, risible, mon espérance. Quoi que nous fassions, nous étions assurés que c'était en vain parce que c'était ici, sous la dictée des choses et que leur indigence foncière, leur relégation, leur sombre se répercutaient directement dans nos pensées. Elles leur communiquaient cette inégalité, cette obscurité qui leur interdisaient, en retour, de les refléter et nous et le monde entier. C'est cette nuit-là que je me suis dit que si je m'éloignais encore plus, alors je nous verrais du dehors, où résidait notre meilleure part, et même si ce que je découvrais, de ce point de vue, se ramenait à rien, du moins posséderais-je une certitude.

Le moment était venu où je pouvais me tenir quitte des réclamations du passé lorsqu'il est resté en suspens, des vœux inconsidérés qu'ont faits les disparus. J'avais un an de plus, ou de moins, s'agissant de la vie mienne qui attendait plus bas que je la rejoigne. À d'autres égards encore, il me semblait qu'une décennie s'était écoulée entre l'instant où j'avais revêtu la livrée couleur de muraille de l'internat et celui où l'on s'ébrouait dans la salle d'eau, sous l'été revenu. La même studieuse journée tournoyant sur elle-même, la noria qui ramenait invariablement la pièce du rez-de-chaussée derrière les grilles, l'étude lunaire puis les combles, comme ces moulinets dans lesquels de petits rongeurs bondissent sans avancer, avait pris fin. Je me croyais capable de faire valoir le sacrifice que j'avais consenti, le légitime désir de respirer. Si je n'y arrivais pas, soit que ces choses fussent trop délicates à expliquer, soit qu'on ne veuille pas m'entendre, je pouvais toujours prendre la route et frapper aux portes jusqu'à ce qu'il se trouve un poste vacant, dans une école dont la fenêtre donnerait sur les vignes ou la vallée de la Dordogne.

Seulement, le maître d'internat avait porté en pleine lumière, publiquement, ce que nous savions sans vouloir nous l'avouer. Quoi que nous entreprenions, ce serait dans les limites que nous assignait l'esprit du lieu. Il manquerait toujours à nos vues cette dimension externe, ce qui avait pour effet, lorsqu'on y réfléchissait, de les défaire sous nos yeux. De sorte que pour être fixé, il fallait passer à l'extérieur. À cette condition, on aurait un aperçu que nul autre aperçu ne désignerait, dans l'instant même, comme insuffisant, inapproprié aux choses, si petites soient-elles, auxquelles il semblait congru, et celles-ci autres, invinciblement. Il était exaltant de songer que l'incertitude pouvait être levée, les mots qu'un décret remontant à la genèse, imprimé dans les grès, nous avait refusés, disponibles, flottants dans l'air, couchés sur le papier, à cent vingt lieues de l'endroit, des jours, des rêveries auxquels ils s'appliquaient, de leur propre absence sentie, du besoin de s'en emparer. Si j'allais les chercher où ils étaient avec la même inamovible constance que la terre, les étangs, les forêts pratiquent, de leur côté, je serais enfin tranquille, réconcilié.

Peut-être la nuit bleue, à la fenêtre du dortoir presque vide, l'imminence du départ coloraient-ils ce moment, autant et plus que la perspective d'aller chercher sur place, à Paris, les termes sans lesquels je ne saurais jamais à quelles puissances injustes, antédiluviennes nous étions affrontés. J'avais toujours dans l'oreille le rire qui avait parcouru notre troupe débraillée. Je me rappelais l'axiome inavoué, enfoui qui corroborait notre disgrâce, à savoir qu'il existait ailleurs des gens pour avoir l'idée précise de ce qui nous touchait en plein et, en même temps, nous échappait. C'est à ces gens, qui n'avaient pas la moindre envie de se mettre à notre place, qu'il faudrait disputer la leur. Les jeux étaient faits depuis que les sables avaient déposé, durci, dans la lagune permo-carbonifère où Brive, deux cents millions d'années plus tard, serait bâtie. Alors, le grand voyage auquel je rêvais, tourné vers la fenêtre, m'apparaissait pour ce qu'il était, une rêverie née du souffle émollient de l'été, l'oubli persistant de la réalité. Ça ne m'a pas empêché de repenser à Paris, de m'imaginer en possession des mots qui avaient cours, là-haut, qui nous intéressaient, mal gré que nous en ayons. Ces sautes d'un extrême à l'autre m'agitaient si fort la cervelle que je ne dormais toujours pas lorsque la nuit a rebroussé chemin, cédé la place au jour sans avoir fait l'obscurité sur la terre.

Il a continué à faire très beau. Les élèves des classes scientifiques ont disparu. Nos propres rangs se sont clairsemés encore. Nous n'étions plus qu'une poignée à évoluer dans l'édifice devenu trop grand, comme sonore. Le soleil au zénith entrait dans les recoins, chassait l'ombre restée de l'hiver en prévision, déjà, de la prochaine rentrée. J'ai demandé rendez-vous au dernier moment. Pendant que j'attendais au bas de l'escalier qui menait aux bureaux de l'administration, à l'étage du corps central, des camarades ont passé, joyeux, légers, malgré les valises qui leur tiraient les bras, ailleurs, déjà. Nous avons échangé quelques mots. Nous nous reverrions peut-être à la faculté, en octobre, ou plus jamais. Ils ont dévalé les trois marches du perron et la lumière violente les a escamotés. Une secrétaire m'a appelé. Elle m'a fait entrer dans une vaste pièce. Le proviseur, que je ne me souvenais pas d'avoir vu, siégeait derrière une grande table, le professeur de lettres en face de lui, sur le côté. Je me rappelle très mal cet instant. J'avais ri de bon cœur, moi aussi, lorsque le maître d'internat avait parlé de la deuxième année, du concours, de la capitale. Et sans doute le proviseur, mon professeur auraient-ils partagé notre gaieté amère, lucide et désarmée, s'ils s'étaient trouvés avec nous, à la toilette du soir. J'ai exposé rapidement mon cas, le souffle court. On a eu la bonté, la délicatesse de le considérer d'un strict point de vue technique, demande d'inscription, transfert de dossier, etc. C'était le plein jour, la réalité, une pièce désuète, parquetée de bois sombre, de la paperasse partout, un tapis élimé, peut-être, et ce fauteuil joufflu, peu scolaire où le professeur avait pris place. Il avait posé la veste sombre, strictement boutonnée sans laquelle, j'en ai eu brièvement conscience, je n'arrivais pas à l'imaginer. Aucun n'a montré d'étonnement, n'a feint de ne pas s'étonner de ma démarche et je leur en ai été reconnaissant. J'ai bredouillé des remerciements, pris congé et regagné le hall.

Lorsque je suis revenu dans l'aile gauche où nous étions cantonnés, il n'y avait plus personne. L'étude avait déjà été nettoyée. Les chaises reposaient les pattes en l'air, sur les tables. J'ai récupéré un livre qu'un camarade à qui je l'avais prêté, ne me trouvant pas, avait glissé dans mon casier. L'espèce de caisson étanche, aérien, où la nuit nous avait assiégés, semblait voguer très loin, oublieux des entretiens étranges, des propositions téméraires, incroyables, pour moi, dont il avait résonné, dans l'hiver. Des fragments d'un poème anonyme, griffonné au crayon sur la cloison, avaient survécu à la brosse et au chiffon. « E pericoloso sporgersi… Varechs. » Même vide intergalactique dans le dortoir auquel les matelas repliés, les armoires béantes donnaient des allures d'exode, de pillage ou de saisie. J'ai bouclé ma valise, dévalé une dernière fois les volées de marches et quitté l'édifice de granit pour n'y plus revenir.

Bordeaux, où je me suis rendu à la rentrée suivante, n'existe guère plus dans ma mémoire que Limoges, derrière le carreau dépoli. Si elles diffèrent, c'est par leurs toits, leur lumière, celle de l'Aquitaine ample et douce, comme touchée, en retour, des vignobles et des pins, des espaces ouverts, faciles, qu'elle éclaire, du reflet de la mer voisine. C'est ce qui, du reste, n'allait pas. Les choses réticentes, étroites que j'avais à tirer au clair réclamaient un jour neutre, impersonnel, celui, me semblait-il, qui devait baigner Paris. Oui, mais ceux dont c'était le berceau avaient l'allure, le ton, les qualités assorties. Pour s'y rendre, il aurait fallu y naître. Je n'y arriverais donc jamais. Le difficile, alors, ne fut pas de rester penché sur des livres, reclus, toujours absenté. Non, mais de faire comme si j'avais ignoré que d'autres savaient ce que nous étions à des dizaines de lieues de soupçonner, et sur quoi, tous, inéquitablement, nous serions jugés.

Pour continuer, il me fallait éviter de penser à ce que je fabriquais. Si j'y faisais réflexion, je n'aurais plus la force, j'abandonnerais. Alors que l'hiver limougeaud demeure dans ma mémoire comme un mégalithe de granit noir, les jours aquitains flottent au vent tiède, mouillé, angoissant de la mer. Il n'y avait moyen de les traverser qu'à la condition d'oublier qu'ils ne menaient à rien.

C'est dans ces dispositions que, contre toute attente, éberlué, j'ai débarqué en gare d'Austerlitz pour découvrir, un moment plus tard, avec quelques survivants des provinces, les gens de Paris. Je leur ai trouvé l'air naturel qu'on a chez soi. Ils étaient surreprésentés, se connaissaient, d'un lycée à l'autre, s'interpellaient avec des voix claires, de grands gestes alors que nous nous tenions par petits paquets chuchotants, circonspects ou solitaires dans la salle où l'on nous a réunis pour nous communiquer l'ordre de passage des épreuves orales. Je me disais qu'il serait encore plus désolant d'avoir vu de si près, foulé l'endroit où les choses se donnaient librement pour ce qu'elles étaient, qu'il aurait mieux valu n'y jamais monter. Et aussi que l'image que je m'étais faite de Paris, par le truchement des actualités Pathé, sa substance gris perle, friable, évanescente, cadrait mal avec le soleil qu'il faisait, les feuillages épais, l'odeur de juillet. J'aurais préféré un temps de brume et de froidure.

Ça aurait ressemblé à un rêve d'hiver qui m'aurait laissé, au réveil, moins de regrets. Mais le ciel resta imperturbablement bleu les douze jours durant et c'est pour ça que l'affaire a tourné autrement. Je reviendrais à l'automne. Je saurais ce que j'ignorais parce que j'avais vécu dedans ou, si l'on préfère, rêvé, et que je me trouvais maintenant au point opposé.

C'est sans doute ce jour-là, dans le train du retour, que s'est rompu sans bruit le lien ténu que j'avais gardé, dans mes pérégrinations, avec les jours que j'ai en Quercy de toute éternité et qui se seront écoulés, patients, fidèles, en mon absence. Avec des résultats différents, j'aurais continué, pour les rejoindre. Les vingt ans que j'avais alors, je les aurais laissés en gage à la dépression gréseuse, obscurs, inexpliqués. Seulement, tout venait de changer. Un chemin s'ouvrait. Un détour de cinq cents kilomètres me permettait d'y revenir idéalement, de leur reprendre ce qu'ils m'avaient ravi d'emblée, l'évidence simple et naturelle, l'élémentaire contentement, la paix. J'avais un long chapitre, le premier, le seul, encore, à déchiffrer, mille péripéties infimes, d'infinis déplaisirs, d'étranges personnages à reconnaître, des penchants, l'absentéisme congénital, le goût des rêves à m'expliquer. C'est ce que la lumière spéciale, faiblement scintillante, de Paris me semblait seule propre à éclairer.

Le gros de ce que j'avais appris jusque-là était de l'ordre de la perte. Faits comme nous l'étions, jetés dans la forme grossière d'un très vieux moule en grès, nous ne pouvions accéder à quoi que ce soit qu'autant que nous répudierions les vues, en l'occurrence l'absence de vues, qui résultaient directement de la circularité, de l'enfoncement. J'avais été privé, à Limoges, de la lumière du soleil, à Bordeaux du sol ferme de l'existence quoique je n'aie pas voulu y penser ou, pour être exact, parce qu'il ne m'était plus possible d'y penser sous peine de le sentir s'effondrer. C'est l'espoir de suivre mon inclination première qui s'éloignait maintenant de toute la vitesse du train express. Je commençais à avoir l'habitude — si elle se prend, si c'en est une — d'abandonner en route ce que j'avais touché en vrac, pour commencer. Tout au long de ces années, je me suis senti partir en morceaux. Je m'étonnais, parfois, d'avoir encore quelque chose à dépouiller quand il me semblait avoir depuis longtemps dispersé la somme des attributs dont on est fait. Mais tel serait le bénéfice de l'hostilité sans faille de certaines contrées qu'on y apprend à composer avec la contrariété, qu'on peut presque tout supporter.

Il me faut dire un mot de la mode du temps, que j'ai prise pour l'esprit du lieu. Ce fut l'époque où toute chose, prétendait-on, résidait dans les mots, que ceux-ci eussent été délestés, à Paris, en particulier, de leurs entraves, affranchis du poids du monde et si souverains, si décisifs, pourtant, que même à distance, même à travers des murs épais, nous en éprouvions l'effet. Qu'il existât un espace distinct, relativement détaché de tout le reste quand il n'en proclamait pas la contingence, le néant, nous l'avions soupçonné, la dernière année de notre vie à Brive, lorsqu'un de ces énergumènes que coiffe visiblement une langue de feu nous avait rejoints en terminale. Rien ne le prédestinait à accueillir pareille faveur sinon, peut-être, une beauté surprenante, comme exotique, quand nous participions tous, corps et âme, à un degré gênant, de l'ingratitude ambiante. Ou alors, il avait reçu les deux à la fois parce que l'une ne saurait aller sans l'autre, la flamme décemment se commettre avec le grossier matériau dans lequel nous étions taillés, à l'image du paysage. L'animal singulier qui débucha, sur le tard, répugnait aux demi-mesures. Je ne sais toujours pas, et lui-même vraisemblablement l'ignore, à qui, à quoi il dut l'intuition divinatoire qui perforait l'épaisseur des collines, le rideau des forêts. Quelque dryade, peut-être, s'était éprise de lui lorsqu'il braconnait les oiseaux dans les fourrés, la truite froide, sous les pierres, dans l'eau glacée. Je m'explique mal. Ça ne se pouvait pas et pourtant cela fut. Il était sorti des fronces où le Doustre et la Solombre, aux eaux d'encre, cherchent le passage, sous les branches. Il avait fréquenté de petits collèges, dans la campagne, où la fée l'avait accompagné. Elle avait pêché, je ne sais où, créé de toutes pièces, peut-être, recopié dans quelque officine cachée dans la clairière, des livres dont j'ai peine à croire qu'ils aient pu se trouver dans les parages. L'heure très ancienne qui était la nôtre précédait de beaucoup celle de leur publication. C'est pour ça que nous marchions avec deux ou trois décennies, siècles, millénaires — c'est selon — de retard sur le temps. Où ai-je lu qu'un rêveur, croyant lire des caractères gravés sur l'écorce des chênes emportée par le vent, conçut l'art d'imprimer au fond des bois ?

Pendant que je cherche sottement le secret sous la lumière morte de la bibliothèque municipale, dans des livres jaunis où il n'est pas, Titania glisse au sauvageon quelques feuillets où elle a esquissé la physionomie du présent. Il se lance dans leur sillage, jette sur le papier des mots épars, arrachés au passage, avec des blancs, entre, qui sont l'écho, dans son poème, des grands pans du silence dont il vient d'émerger saignant, furieux, étincelant. Il cherche du secours parmi nous, qu'on serait bien en peine de lui fournir, lui seul ayant reconnu le corps de la déesse, fléchi, dans les ravins, le cœur farouche de la fée. Il a tenu à peu de choses, disais-je, que tout devienne évident, facile. Il m'aurait suffi de voir le jour un peu plus bas et non dans les étroits du piémont limousin. Un charme objectif, intemporel s'attache au pays quercynois où tout m'appelle. Des esprits libres, ennemis déclarés du prosaïsme, des immobilités ne dédaignèrent pas de s'y établir. C'est ainsi qu'André Breton descendait passer les beaux jours à Saint-Cirq-Lapopie. On pouvait croiser le pape du surréalisme en chair et en os dans les rues du bourg ou sur les galets du Lot, en contrebas, où il cherchait des agates polies par les eaux. Nous savions, vaguement, que de très jeunes gens revenus de la Grande Guerre et de tout s'étaient mis à agir, à écrire de manière insensée, cinquante ans plus tôt. Ils avaient invité les populations à venir cracher sur le cercueil d'Anatole France, réglé à coups de canne leurs divergences de vue sur la littérature, fait scandale. Cela surprenait infiniment lorsque rien ne semblait moins fait que des ouvrages momifiés dans un silence de nécropole pour enflammer les passions, exciter des rixes. On l'aurait volontiers mis au compte de l'extravagance systématique des habitants de Paris, des procédés imprévisibles qui les recommandaient à l'attention si, dans le même temps, on ne leur avait accordé cela même dont je ne prendrais pleinement conscience que l'année suivante, sous le robinet de l'internat : le pouvoir discrétionnaire d'établir l'importance et le sens de toutes choses, y compris celles qui nous touchaient de près et, de ce fait, nous échappaient.

Un deuxième pontife, celui de la préhistoire, ne se contentait pas de chercher l'or du temps parmi les galets du Lot. Il descendait directement chez nous, dans la cuvette de grès, qu'il creusait encore pour atteindre sous nos pieds les crânes épais de nos prédécesseurs. Mais alors que Dada, l'outrage fait au cadavre d'Anatole France, le visage de Nadja dans un gant nous laissaient interdits, pour ne pas dire légèrement révoltés, c'est tout naturellement qu'on voyait émerger des abysses de la durée les lourdes mâchoires et les fronts bas de nos lointains ancêtres, comme si ç'avait été la même heure, ou presque, parce que c'était le même endroit tandis que quelques centaines de kilomètres, quelques décennies, du côté opposé — celui d'un présent déjà dépassé —, restaient infranchissables. L'abbé Breuil passait sous son légendaire béret sans qu'on s'en émeuve, et les frères Bouyssonie qui avaient tiré un néandertalien à peu près complet de la grotte où il dormait depuis cent mille ans, vers La Chapelle-aux-Saints.

Notre camarade n'avait pas hésité. Il s'était posté à la sortie de la ville, après le pont ferroviaire, où la nationale 20 semble marquer une pause, prendre son souffle avant de plonger dans les douves ruisselantes qui nous séparaient de la deuxième enceinte de hauteurs. Il avait arraisonné une voiture ou une fourgonnette qui l'avait emmené jusqu'à Cahors. Là, il avait obliqué vers Cajarc, plein est, et s'était fait déposer à Saint-Cirq où il s'était renseigné. C'était une haute maison sur la pente. Il avait frappé à la porte, ornée d'un chardon météorologique. Elle s'était ouverte sur Breton dont c'était le dernier été. Mais pour précaire que fût la rencontre, elle avait eu lieu. Celui qu'un feu, une fée avait élu, lavé du maléfice qui nous privait du premier mot, de la moindre chance, avait passé trois jours près de l'auteur des *Champs magnétiques*. Celui-ci l'avait encouragé à persévérer dans le sacrilège avant de regagner la capitale pour y mourir, quelques semaines après.

Le premier voyage à Paris, en juillet, ne m'a pratiquement pas laissé de souvenirs. Je n'imaginais pas de suite. J'étais peu soucieux de me créer de vains regrets. J'étais continuellement dans les livres que j'avais emportés. Pour me délasser, je parcourais les éditoriaux du boutefeu dont j'occupais la chambre, dans des revues extrémistes empilées sur une étagère. J'allais me passer la figure sous l'eau froide, reprenais mes révisions. À cela se bornaient mes pensées.

C'est en octobre que j'ai remarqué l'odeur qu'on respirait dans le métro où il fallait s'enfoncer dès qu'on arrivait. J'ai noté que ça sentait le carbone. Tel est le nom qui m'est venu, qui n'était pas le bon. Ce que je voulais dire, sans

y parvenir, c'est combien l'air me semblait ané-
mié, assorti au matériau usé dans lequel Paris
semblait bâti. J'avais laissé en chemin l'essentiel
de ce que j'avais reçu, supposé, cru, au sein des
collines, y compris l'idée que je m'étais faite de
la capitale au vu des actualités mensuelles, avant
le film, au cinéma. Or, ce qu'on découvrait, en
regagnant la surface, sous le ciel gris, avait pré-
cisément la nuance terne, très douce des images
tourbillonnantes qu'on regardait, les yeux écar-
quillés, dans son fauteuil, du fond de l'obscurité.
C'était celle du bois exposé sans protection aux
intempéries, des étoffes décaties, de ce qui a tant
servi qu'on ne le voit plus, la couleur même du
temps lorsqu'il a estompé les aspérités, la particularité des choses et que subsiste, seule, leur
essence docile, impondérable, comme allusive.
J'avais quitté des terres humides, vert cru, fer-
rugineuses, hérissées de piquants, jonchées de
bogues, trempées de sources pour un univers
où les maisons, l'écorce des arbres, le visage des
gens, les toits de zinc, la nue et, bien sûr, les
pigeons étaient gorge-de-pigeon. Respirer à mon
aise, trouver mon content d'air quand il m'avait
paru inapte, d'abord, à alimenter un poumon,
m'étonnait. Je me suis surpris, au cours de la
même période, à jauger la solidité du décor où
j'évoluais. Les monuments que j'avais vus jadis,
dans les livres, surgissaient inopinément à l'angle
d'une rue, pareils à des gravures en taille-douce

à ceci près que c'était grandeur nature, l'original en pierre gris clair.

La réalité avait pris l'apparence d'un livre. Le paysage semblait tiré d'un recueil d'estampes, aussi précis, épuré, décoratif, aussi extérieur, indifférent à ce qui se dit ou fait que les arcades en carton-pâte et les façades de toile peinte de la place Royale aux entretiens de Géronte et de Clitandre. Les grilles de fonte, la dame éplorée, en bas-relief, qu'on voit de la rue de Médicis, les marronniers à l'alignement, encagés, fers aux pieds, les arbrisseaux taillés en boule sous les fenêtres croisillonnées du Sénat, le plumet d'eau qui s'élève et retombe avec de mourantes grâces dans le bassin du Luxembourg sortaient tout droit des *Faux-monnayeurs* ou encore de l'extrême fin de *Sanctuaire*, quoiqu'une part, au moins, de l'âcre noirceur mêlée au soir d'hiver m'ait paru étrangère au lieu, directement importée d'Oxford (Mississippi). Enfin, les choses portaient une appellation. Elle était taillée dans la pierre en capitales romaines, coulée dans le bronze, calligraphiée au pied des arbustes incongrus, théâtraux. Les gestes, les propos qu'on pouvait faire, proférer dans ce cadre en dépendaient aussi peu qu'ils y changeaient rien. L'extériorité saillante, inexpugnable qui formait la composante majeure de ma prime expérience s'était volatilisée. Il n'y avait plus de réalité, au sens où, jusqu'alors, je l'entendais. On se sentait privé, presque, de troisième dimension, un petit personnage esquissé en trois coups de burin, au second plan, sommairement hachuré sur fond de praticables et de plantes captives, amovibles. L'indifférence des sensations, dans ce succédané de monde extérieur, était des plus déconcertante mais j'en ai pris mon parti comme je l'avais fait du puits de mine limougeaud, du grand souffle angoissant courant sur l'Aquitaine. Je ne vivais pas. Il n'y a qu'un seul endroit où cela se puisse et, comme je n'y étais pas, je n'existais point, du moins de la seule façon que je conçoive, sans réserve ni réticence, apaisé. En tout état de cause, j'étais libre de chercher à comprendre ce qui s'était passé avant, au loin. J'étais sur place, à l'endroit où les termes convenables avaient leur exclusive résidence et je pouvais prétendre les trouver enfin.

L'écho du commencement me parvenait encore par la voix des personnels d'entretien et de service — les *Sioux*, comme on les appelait — dont beaucoup étaient des compatriotes. Ça se voyait aux noms que nous portions, à la physionomie typique qui va de pair. Nous échangions quelques mots, au détour d'un couloir, au réfectoire, lorsqu'ils passaient la serpillière ou apportaient les plats. Tous, sans exception, souffraient du dépaysement. Ils se débrouillaient pour rentrer le plus souvent possible, sans regarder aux longueurs de la route sinueuse, à deux voies, encore, à la fatigue, au danger. Ils roulaient de nuit par tous les temps pour arriver à destination peu avant l'aube du samedi, étaient deux jours à se retremper dans la cuvette et reprenaient la nationale le dimanche soir pour une nouvelle semaine de travaux fastidieux, de violente nostalgie. Ils pensaient rentrer un jour, à l'ancienneté, pour ne plus repartir, et nous constations que nous étions faits de certaine particulière sorte à laquelle l'Île-de-France ne conviendrait jamais.

Déduction faite des activistes dont la scolarité se passait à préparer l'insurrection, des arrivistes, des originaux qui cultivaient, dans leur chambre, diverses passions, la population de l'endroit comportait des gens normaux, sans histoires, ou dont l'histoire trouvait là son naturel aboutissement. Ainsi de mes plus proches voisins, deux physiciens que tout, par ailleurs, opposait. L'un, Breton, avait repris pour l'accomplir la carrière d'un grand-père prématurément anéanti, en 1916, sous Douaumont. L'autre, d'origine égyptienne, était né à Ismaïlia. Son père, avocat international, travaillait pour l'administration du canal de Suez. La décision de Nasser avait surpris la famille éparpillée entre les monts du Liban où les jeunes sœurs goûtaient le frais, Londres, où mon futur condisciple se remettait d'une opération des yeux, en compagnie de sa mère, et Alexandrie. Pour échapper à la réquisition sur place, à l'imminente pluie, aussi, des bombes franco-anglaises, le père avait prétexté la maladie grave à quoi l'une des filles aurait été sujette. Il avait passé la frontière avec une chemise de rechange et un nécessaire de toilette, laissant tout, rassemblé les siens et gagné Beyrouth où ils avaient connu une dizaine d'années de répit. Ils avaient essaimé ensuite vers l'Europe et l'Amérique aux premiers signes de la guerre civile qui allait ravager le Liban. Mon petit camarade avait débarqué à Janson-de-Sailly où il avait rencontré le *kimry* aux yeux gris, comme si l'océan avait continué de s'y refléter après qu'il en eut détourné ses regards pour s'enfoncer dans l'intérieur. Tous deux étaient quittes, curieusement, d'arrière-pensées, de regrets. L'un entendait percer quelques mystères des hautes énergies, l'autre évaluer avec la dernière précision la masse des noyaux atomiques. C'est cela, et rien d'autre, qu'ils étaient venus chercher des bords tempétueux de l'Atlantique ou du rivage de la Méditerranée la plus orientale. Ils parlaient le même langage énigmatique, du même ton dépassionné, engageaient à brûle-pourpoint des dialogues éthérés et souriaient gentiment lorsque, fataliste, terrien, je déclarais qu'ils galvaudaient leur talent. Ils avaient vocation à braver la tempête, à présider quelque consortium de banques apatride, de l'air dégagé, imperceptiblement ennuyé que vous donnent trois millénaires de très fructueux négoce entre le Pont-Euxin, les colonnes d'Hercule et les îles Cassitérides. Ils avaient le physique de l'emploi, si l'on peut ainsi parler, de l'eau salée à douze degrés dans les veines, certaine lippe dédaigneuse pour parler d'argent. Ils étaient faits, leur disais-je, pour fendre les flots démontés, vers Ouessant, passer le cap Horn, bourrer des chambres fortes de devises et de titres, porter à la hauteur de ce temps dont nous sentions bien qu'il était neuf puisque enfin nous venions de nous croiser, ce que les âges antérieurs avaient contenu dans les limites antagonistes du levant et du ponant. Et ils avaient passé sans un regard en arrière dans l'univers quasi immatériel, très savant, qui les réunissait.

D'autres, dont la plupart étaient parisiens, devaient m'aider à mesurer la cruauté toute relative du monde auquel mes premières impressions confèrent un poids accablant. Ils portaient des noms franchement germaniques ou, pour les séfarades, nettement méridionaux. Je n'avais jamais connu que deux israélites, jusqu'alors. Un tailleur qui me couvrait de jouets, me gavait de friandises lorsque j'étais petit parce que mon père, sous l'Occupation, lui avait fourni de faux papiers. Comme ni l'un ni l'autre n'avaient cru devoir s'expliquer, cette pluie de délices resta l'un des grands mystères de mon enfance. Et puis la mère d'un camarade au bras de qui, un jour d'été qu'elle portait une robe sans manches, j'avais vu, tatoué sans soin, comme à l'encre violette, un numéro dont je n'apprendrais qu'un peu plus tard la signification. Ce fut tout jusqu'à l'époque de mes vingt ans où je m'avisai qu'une importante fraction de ceux avec lesquels j'allais passer les années à venir étaient d'origine juive, grevés d'un passé au regard de quoi celui, quasi minéral, dont je cherchais à briser la gangue, était à tout prendre anecdotique, bénin, léger.

Aucun d'entre eux n'y fit allusion devant moi. Ils vivaient au présent avec un appétit, une intensité que je n'ai vus qu'à eux. Mais cette attention au moment actuel, au foyer du possible en était peut-être la conséquence directe. La tragédie de la génération précédente n'aurait pas atteint un tel degré d'horreur, une pareille étendue si elle avait détecté à temps l'éveil du monstre qui allait la dévorer. C'est seulement dans leurs rêves qu'ils se voyaient en pyjama rayé, crâne rasé, hâves, sous d'atroces fumées. Lorsque leurs yeux s'ouvraient, ils repoussaient du même mouvement leurs cauchemars et leurs draps pour s'attaquer au jour neuf qui succède toujours à la nuit.

Si j'ai souffert des immobilités sans nom qui s'attardaient sur les marges du massif ancien, c'est du contraire qu'ils avaient pâti, dont témoignaient leurs noms étrangers. Lorsqu'ils regardaient par-dessus leur épaule, c'est les plaines d'Europe centrale qu'ils devinaient confusé-

ment, les ruelles de Smyrne livrée aux Otto-
mans, Grenade, les villes de l'Islam où ils avaient
contracté l'aptitude à intervenir où les choses
se passent, sur la place publique, au milieu de
la foule échauffée. Ils étaient du monde, par la
force des choses. Ils avaient un intérêt vital à
déchiffrer ce qui s'y passait, à déceler, quand ils
n'étaient encore que des balbutiements, les cris
de mort que suivrait bientôt le geste, et qu'il
leur faudrait, une fois de plus, s'enfuir ou périr.
En l'absence de dégagement, l'étroit berceau
m'avait condamné aux détails. Des riens prenaient des proportions immenses, un magnolia dans un jardin abandonné, un filet d'eau,
des bourgeons. Un jour, je tombai en arrêt
devant les échantillons de roche qu'un élève
de géologie avait entassés dans un coin de sa
chambre. J'écoutai ses explications sur les ter-
rains primaires, les sytèmes dévonien, silurien,
la sédimentation des matériaux détritiques dans
les lagunes où pourrissaient les sigillaires. Mais
c'est plus tard, après avoir quitté l'École, en
des heures très sombres, que je me rappellerais
cet entretien. Mes condisciples d'origine juive
n'avaient que faire de fossiles, de fragments de
bois pétrifié. Le présent occupait leurs pensées.
Ils avaient également appris à leurs dépens que
les biens matériels sont autant d'otages, d'entraves. De là l'estime à peu près exclusive dans
laquelle on leur avait appris à tenir ces choses

qu'on emportera toujours avec soi s'il faut déguerpir, que nul ne nous ravira qu'avec la vie puisqu'elles font corps avec nous, sont notre esprit. Et parmi ces choses indestructibles, ininflammables, sans poids ni prise extérieure, c'est aux plus dénuées d'attache avec la réalité tangible, avec les apparences, qu'ils se portaient, les mathématiques, la physique théorique, la philosophie. Beaucoup militaient activement à l'extrême gauche. Ils introduisaient dans les discussions véhémentes, enfumées qui nous réunissaient jusqu'au milieu de la nuit, une pénétration, un principe de généralité devant lesquels les barrières naturelles ou conventionnelles, océans, frontières, langues, croyances, nations s'effaçaient comme par enchantement. Les faits infimes, bien localisés et malgré — ou à cause de — cela très encombrants dont j'étais venu chercher l'explication n'existaient pas, du point de vue qu'ils adoptaient de façon spontanée. J'admirais qu'on pût se mouvoir librement dans un univers égal, ouvert, purement intelligible. J'aurais aimé l'habiter comme ils faisaient, partager leur vaste et limpide séjour. J'avais vécu dans un coin, en songe. J'en étais conscient. J'avais tout à apprendre de ce qui se passait sur la terre. Nul n'était mieux à même de m'en donner un aperçu que des gars de mon âge, et brillants, et volontaires, à qui une expérience nomade, terrifiante, avait appris à rechercher les biens les moins lourds, les plus propres, aussi, à les aider à percer ce qui pouvait menacer à tout instant leur existence.

Mais on ne peut faire que l'on ne se souvienne. Quand le monde ou l'un de ses cantons s'est annexé une part de nous-même, celle-ci s'obstine à réclamer sa délivrance et nous n'aurons de cesse qu'elle ne l'ait obtenue. Lorsque, la gorge irritée par les palabres et la fumée, je regagnais ma chambre, il me semblait avoir fait le détour pour rien. Ce dont j'étais venu chercher le nom, la raison restait en deçà du seuil de la phrase et celles, immenses, en nombre infini, que j'avais recueillies ne s'appliquaient à rien qui fût, pour moi, consistant, effectif.

Il manquerait quelque chose au grand artifice gris qui s'était plus ou moins matérialisé lorsque je suis arrivé à Paris si je ne mentionnais certaine senteur qui fut la sienne pendant ces années-là. Celle du métro n'en était pas une au sens strict du terme mais le goût de l'air usé à force qu'on le respire, sous la terre. L'A.-O.F. et l'A.-E.F., les îles homériques, les pôles, le Paris des anciens romanciers, lorsque je les explorais à la lumière insuffisante de la bibliothèque de Brive, sentaient la pierre froide, la poussière, le moisi. J'avais retrouvé leur odeur, quoique atténuée, aux pages des volumes datés, dépassés, du meuble vitré qui occupait un côté du corridor de la salle de classe, au lycée de Limoges. Elle fut supplantée, d'un coup, par celle des livres neufs aux angles nets, d'un blanc de neige, très déconcertants qu'on trouvait partout, à Paris. Il me suffit, aujourd'hui encore, d'en ouvrir un pour raviver la deuxième source du désappointement que l'équipée vers la capitale me réservait. Je veux parler de la littérature à peu près pure qui s'imprimait alors, l'équivalent, dans le registre de l'écrit, du décor où il me semblait évoluer, des discussions abstraites et passionnées — la paysannerie pauvre, la bourgeoisie comprador, le capital financier — où jamais n'affleurait l'accident obscur, étroitement localisé, que je cherchais à m'expliquer pour m'en extraire.

Puisque les gens de Paris avaient la capacité de se mettre à notre place et qu'il n'en restait plus, l'unique moyen de se ressaisir était, avais-je pensé, de partager la leur, l'univers de façades, de vasques, d'écriteaux qu'ils hantaient, comme la scène, autrefois, du théâtre élisabéthain ou du siècle d'Or espagnol. Quand les arbres en cage, les allées ratissées, tirées au cordeau, les bâtiments font explicitement mention de ce qu'ils sont, l'empêchement sourd, l'hostilité couverte en quoi peut consister la réalité, ailleurs, s'évanouissent. Elle se ramène à son signe. Elle en a la légèreté, l'innocuité. On lit sa vie. Elle ressemble à un livre, sans rien autour. Ce qui, avec le recul, relevait d'un moment, d'une mode — les mots ne renvoyaient qu'à eux-mêmes ; le langage, disait-on, se parlait —, je l'ai regardé comme l'expression naturelle d'un monde entièrement domestiqué, dûment historié, purgé de ses pouvoirs, aussi accessoire qu'une toile représentant ce qu'on voudra, des parcs, de pompeux édifices mais, si l'on veut, quelque désert stylisé, des abîmes affreux sur fond de quoi des personnages vêtus comme à la scène, de manière très malcommode, parlent pour la galerie, changent quand il leur plaît de rôle, ne sont en vérité tenus à rien. Vidé de sa substance, définitivement légendé, pareil à l'image qu'on en voyait de loin, aussi explicite et révocable qu'elle, il n'inspirait plus depuis longtemps d'incertitude à ses habitants, du moins à ceux que je fréquentais. Ils se trouvaient disponibles, par conséquent, pour nourrir des pensées qui lui étaient entièrement étrangères, comme nous, d'une certaine manière, à la différence que cette extériorité nous était imposée par des choses qui défiaient depuis l'origine notre aptitude à les envisager tandis que celle qu'on cultivait ici était délibérée. On pouvait faire ce qu'on voulait, rêver les yeux ouverts dès lors que la première et principale question, celle du dehors, était réglée, celui-ci aussi peu débordant, invasif qu'un volume de gravures. Lorsque je passais au pied d'un monument célèbre, le long des grandes avenues, je me faisais l'effet d'une petite silhouette en carton découpé qu'on glisse entre les pages, en guise de signet. Je m'étais mis à la place des autres pour tenter d'apercevoir la nôtre. Maintenant que j'y étais, je découvrais que celle-ci était entièrement dépourvue d'existence, à leurs yeux, tandis que l'espace où ils improvisaient librement me faisait l'effet d'un décor arbitraire, révocable.

L'incompatibilité sentie, précoce entre ce qu'il y a et ce qu'on est m'a aidé autant qu'elle m'a nui. Qu'avais-je appris, à Limoges, sinon à en rabattre encore, à restreindre la ration d'air, de liberté, de rêverie que j'avais crue nécessaire ? J'avais découvert, à Bordeaux, qu'on peut vivre sans espoir sans cesser, pour autant, de travailler à poursuivre une espérance. C'était le prix à payer pour quelques éclaircissements dont il s'avérait qu'ils n'étaient pas inexistants, inaccessibles au moment précis où j'en faisais mon deuil. Je lisais maintenant des pages désancrées dans un cadre irréel. J'y trouvais presque une apparence de tranquillité puisque les termes de l'opposition foncière, originaire, étaient comme neutralisés, réduits à leur signe.

Seulement, le temps passait. Nous ne serions pas toujours enfermés dans des chambres. Le loisir studieux, les discussions planétaires auxquelles je me mêlais, le soir, laissaient entière la question qui m'avait conduit là. Il aurait fallu être quitte d'arriérés pour considérer l'avenir d'un œil égal, envisager l'une des carrières auxquelles nous étions censés nous préparer. Mes deux physiciens, que ne troublaient ni l'appel du large ni la faim sacrée de l'or, allaient poursuivre dans des laboratoires de science-fiction, illuminés par des lasers, l'examen des noyaux atomiques ou de particules encore plus minces, d'une durée si brève qu'on pouvait douter qu'elles existaient. D'autres avaient disparu en cours de route, dont on apprenait, trois mois plus tard, qu'ils étaient entrés à l'usine afin de hâter le mouvement. J'avais ce vieux compte à régler. J'étais tributaire d'un passé au regard duquel des travaux savants, la connaissance pure me semblaient négligeables. Il me prescrivait deux voies équivalentes et diamétralement opposées, soit revenir en arrière pour m'y perdre aveuglément, soit le tirer à moi, lui donner la place qui lui revenait dans l'ordre incertain, contesté qui est le nôtre : la tremblante lueur, le souffle articulé.

Nulle erreur d'interprétation concernant les choses à peu près indifférentes que baignait l'atmosphère appauvrie de Paris ne portait à conséquence. Lorsque j'étais resté trois mois entre quatre murs et que mettre le nez dehors n'y changeait rien vu qu'il ressemblait, par son ordonnance explicite, aux lectures où j'étais absorbé, je n'étais plus très loin de croire que n'importe quel mot fait l'affaire, n'importe quelle pensée. On pourrait prélever, comme Arlequin, des pièces et des morceaux à notre convenance et laisser le reste, l'oublier. On serait ce qu'on veut. Mais lorsque je rentrais, aux vacances, et que le train, à l'approche de Limoges, s'enfonçait dans les ravins, que le taillis descendait près du ballast, lui contestait le passage, la studieuse, la pâle rêverie s'effaçait. Avec le paysage familier, je retrouvais la stupeur qui en fut la rançon, la contribution personnelle à laquelle on se trouvait assujetti du simple fait d'y naître, d'en être. Les libres ruminations qui m'avaient accompagné à travers la Beauce et le Berry reculaient en désordre, s'éparpillaient à l'approche des monts de Blond. Décembre, à la vitre, esquissait à la mine de plomb l'échine bossue des granites uranifères, les bois décharnés, le pleur des ruisseaux débordés. Le vieux chagrin, les alarmes infantiles revenaient. Et si le mauvais couvert allait couper la voie, la ligne, de guerre lasse, s'interrompre un peu plus loin ? La dernière partie du trajet se faisait à moitié sous la terre, dans son éternelle nuit. On ne sortait d'un tunnel que pour se jeter dans la gueule du suivant. Dans l'intervalle, on courait au droit de la Vézère écumeuse. À la fin, le convoi décrivait une large boucle pour contourner le rempart des collines et entrait par la trouée, en ouest, de la rivière.

J'ai eu, durant ces années, deux vies sans autre communication que le sas étroit, interminable et ferraillant qui ouvrait, d'un côté, sur les choses dont j'étais allé chercher l'explication dans un décor de frontons, d'orangers en caisse et de pigeons et, de l'autre, le décor, donc. J'ai essayé de les rapprocher et c'est pour cette unique raison que j'ai fait la navette, trois fois l'an, entre deux endroits où je me sentais, quoique sous deux espèces antagonistes, pareillement exilé.

Le lendemain de mon retour, ou le surlendemain, je poussais vers l'extrémité orientale de la cuvette. Il y avait un endroit particulier où la nationale 89, la voie ferrée unique et l'eau jouent des coudes et se bousculent pour passer, où la quintessence du pays et du sentiment qu'il inspire se trouvent concentrés. La Corrèze blême, écumante d'avoir cherché le passage par les étroits, dans les rochers, faisait entendre le aaaaahhh véhément, tenu, qu'on émet quand on est très contrarié. Parfois, la micheline à bosse, suivie ou non de son wagon, tache bicolore, insolite, pas plus grande et aussi fragile qu'un jouet, glissait au flanc du ravin, estompée par les fourrés. Il m'est arrivé d'imaginer que la songerie tardive, assidue, sans extériorité où j'étais entré, à Paris, s'imposerait à la fin comme la seule chose. Cette illusion n'a jamais survécu à l'instant du retour. Elle s'effilochait aux premières aspérités du terrain, vers la Creuse. Il n'en restait plus trace lorsque j'avais retrouvé mon point de départ. Je m'installais à proximité du passage à niveau, entre un pont que la 89 franchit après avoir coupé la route au rail et un tunnel où le rail, trouvant la place prise, par la route, justement, cherche le passage vers les hauteurs du département. Je dressais l'oreille. Le aaaaahhh de l'eau était comme la voix du défilé. Le regard butait à moins de cinquante pas sur l'autre paroi, à laquelle des acacias, des sureaux, des prunelliers s'agrippaient. Des haillons d'herbes pendaient aux saillies du rocher.

J'aurais aimé que des noms soient gravés dedans, se dessinent, en caractères liquides, sur l'eau fugitive ou alors qu'elle s'explique au lieu de produire ce bruit courroucé, continu qui, à son tour, irritait. Ou que des mots me viennent d'eux-mêmes, maintenant, ceux que j'avais pris la peine d'aller chercher à l'endroit où les avait déposés l'injuste main, la même qui avait dégagé, au loin, des horizons tandis que son pouce renversé, comme au cirque de Rome, creusait ici la dépression où nous serions jetés, le moment venu, dans les grès. Du temps passait. Le froid me rentrait dans le corps. Les hautes murailles resserrées accablaient. J'éprouvais la contrariété qu'il y a à rester au contact d'une colère, serait-elle celle de l'eau, des fourrés. Je reconnaissais, intact, inentamé le déplaisir que j'avais fui, les yeux ouverts, dans la nuit. Il ne m'est pas venu alors à l'esprit, n'ayant pas eu le temps, qu'on ne vient pas à bout en l'espace d'un moment de l'ombre accumulée depuis le fond des âges, qu'il faut du temps. C'est comme de tailler à coups de pic la corniche aventurée à flanc de gorge, de percer le tunnel à travers le banc rocheux. Une chose est de vouloir se frayer un passage, autre chose d'attaquer la paroi, de réduire pied à pied l'épaisseur, la résistance du rocher. C'est la même écrasante inertie, la même noirceur que les mêmes choses nous opposent sous les deux espèces où elles sont, pour nous, en tant que telles et puis hors d'elles-mêmes, fort au-delà de leur strict contour, à l'intérieur de nos pensées et jusque dans nos cœurs.

Au sortir de l'adolescence s'ouvre un intermède décevant auquel on ne conçoit pas de fin. Une fois encore, j'aurais eu besoin, j'ai attendu qu'on me dise. Le dépit de me découvrir embarrassé de termes empruntés, inopérants sur les choses concrètes, rétives de toujours, pour cuisant qu'il fût, m'aurait moins affecté si je l'avais su inévitable, peut-être passager. J'aurais laissé à celui que je serais ultérieurement devenu le soin d'une opération que j'avais crue toute simple et qui ne l'était pas. J'avais cédé une année de la seule vie qui vaille, puis deux puis d'autres, encore, au terme de quoi je comptais que le chapitre obscur par où j'ai commencé serait expliqué. Je saurais. Je serais libre. Je m'établirais à l'endroit où j'attendais, en quelque sorte, ma propre venue. Or, cela n'était pas et, pensais-je, ne serait jamais. Cette période dont j'attendais tout n'a pas répondu à l'attente candide, extravagante où j'étais entré un soir de juin, sous les combles du lycée de Limoges. Je n'ai déniché nulle part la poignée de mots dédaigneux, tout simples, sans doute, évidents, après coup, que j'aurais déposés en regard des gorges froides, du taillis, des premières énigmes.

Nos années d'apprentissage s'achevaient. Mes condisciples tournaient vers la suite le regard dégagé qu'ils tiraient de l'immmensité océane, des pays traversés, de l'heure présente. Ils se préparaient à retourner, mais de l'autre côté, en classe préparatoire, à l'université ou à passer — cela se voyait à leur sérieux précoce, à une mise plus soignée — à la Cour des comptes ou au Quai d'Orsay. Ces derniers rentraient tard des conférences de Sciences-Po. Ils jetaient un coup d'œil ironique sur la prose incendiaire placardée à l'entrée du réfectoire, qui stigmatisait Nixon et les fantoches mais aussi les nouveaux tsars et leurs bureaucraties. Les affiches avaient jauni, qui représentaient de petits hommes aux yeux bridés, vêtus de feuillage et s'avançant en armes, comme la forêt de Birnam, les Noirs athlétiques du Black Power aux yeux cachés par des lunettes réfléchissantes, face à des policiers harnachés comme des cosmonautes, tenant des molosses démuselés. L'élan d'une décennie retombait. Les grands feux de nos adolescences s'éteignaient. Il y avait déjà dans l'air un goût de cendre.

Lorsqu'il fut avéré que je ne trouverais pas d'explication toute faite, que l'accident dont je portais les séquelles ne concernait que moi, le mouvement que je me donnais depuis des années, la théorie des jours gris où je m'enfonçais perdirent toute signification. J'avais remis à plus tard de vivre, par égard, d'abord, pour des morts que je n'avais jamais connus vivants, dans l'espoir, ensuite, d'obtenir les éclaircissements dont l'absence parachevait notre infortune. Je m'étais transporté sur le grand théâtre du monde. Ce que j'y avais lu, entendu ne m'était d'aucun véritable secours, ne valait qu'autant que ce qu'il y avait autour était à peu près dépourvu de corps, d'effet, de réalité. Je n'étais pas venu préparer un avenir mais tenter d'élucider un passé. Je n'ai pas rempli de dossier, rendu de visite, cherché quoi que ce soit. Une saleté dont j'avais souffert dans ma prime enfance et, depuis lors, oubliée récidiva avec une acuité qui ajouta à ma détresse. Je me trouvai pris à la gorge avec une cuisante brutalité. Il fallut opérer. Je quittai l'hôpital en milieu d'après-midi, étourdi, meurtri, encore, avec la sensation tenace d'être fait de la même étoffe mince, fragile, que le dehors où je reprenais pied. J'ai regagné l'École. Nous étions sur le point de nous séparer. Il faisait beau, par extraordinaire, comme des années plus tôt, lorsque j'avais débarqué, incrédule, effaré, et qu'il ne me semblait pas que pareille aubaine se fût reproduite dans l'intervalle. Si, comme il est probable, ç'avait été le cas, elle m'avait échappé, occupé que j'étais à chercher autour de moi, sur le papier, dans l'air atone, les explications qui n'y figuraient pas. Nous nous tenions dehors. Les murs prenaient, avec le soir, une patine dorée, précieuse. Les arbres gardaient, pour peu de temps, le vert frais, juvénile que la chaleur de l'été va ternir. Parler me faisait mal, même me taire, et c'est ainsi que nous nous sommes dispersés.

Je ne me rappelle pas sans effroi l'époque suivante. Le laps de temps que je m'étais donné, au départ, pour tirer les choses au clair s'achevait. J'avais cherché sans succès les trois pages, attendu les quelques phrases où tout serait comme négligemment dit, y compris le silence premier, impénétrable sur lesquels ils étaient conquis. Que je puisse entreprendre de les chercher moi-même ne m'a pas effleuré l'esprit. Une seule et même disgrâce s'attachait au sol acide, concave et aux âmes — les nôtres — qu'il avait modelées. Un dieu inique avait fait deux parts, entassé, ici, Pélion sur l'Ossa, répandu l'ombre, la confusion des bois, les eaux échevelées et, à l'autre bout du monde, l'explication supposée. En vertu de quoi j'avais écarté le seul bonheur précis que je sache pour courir après si, à cette condition, la clé de l'énigme m'était livrée. Or, le fin mot de l'affaire n'était tracé nulle part. Ceux que j'avais rencontrés ne renvoyaient qu'à eux-mêmes. Ils tiraient cette particularité de la neutralité qu'adopte, par endroits, la réalité. On pouvait n'avoir d'égard qu'à leur chair diaphane, aux liens arachnéens qu'ils tissaient, à leurs échos croisés. Nul rebord abrupt n'en régentait l'usage et c'est avec cela qu'il me fallait compter. J'en portais l'empreinte et les vocables qui me délivreraient s'y rapporteraient ou bien ne seraient rien, du bruit qu'on fait, un gribouillis indifférent sur le papier. Les seuls bénéficiaires de l'histoire furent le grand gaillard depuis longtemps absenté et le petit bout de bonne femme qui lui avait survécu le temps d'élever leurs deux marmots. Mais comme ils étaient morts bien avant que je naisse, ils n'eurent pas lieu de s'en féliciter. Ils ne me virent pas en professeur et cela, sans doute, est préférable. Leur rêve avait sauté une génération. Le pédant personnage à redingote, chaîne de montre et lavallière qu'ils avaient imaginé, juste avant l'orage, était depuis longtemps passé de mode. Ils ne s'y seraient pas retrouvés.

La retombée fut à la hauteur de l'exaltation qui m'avait emporté. Les lectures qui m'avaient occupé, tout le jour, des années durant, partout, dans des salles d'étude, des compartiments de chemin de fer, des soufflets, sur des quais écrasés de soleil ou glacés, dans une turne, pour finir, perdirent l'essentiel de leur consistance lorsque je la quittai. Si nous possédions la faculté de nous dédoubler, que nous fussions plus grands, moins passagers, j'aurais compris que les vies opposées, le dépit, l'espérance et encore le dépit, ce n'est pas un rêve irrévolu ni la sagesse antique d'André C. ni le désir personnel d'y voir un peu plus clair, d'être fixé, qui en étaient la cause. C'est que les ultimes enclaves du vieil âge s'ouvraient au-dehors, au présent — ce fut pareil, alors. Nous avons été placés devant l'alternative de faire droit à son intrusion en dépouillant l'intériorité que nous tenions de l'époque antérieure ou de nous rencogner dans le passé. Avec un cœur léger, une âme changeante ou plusieurs, successives et contrastées, il serait aisé d'épouser les frasques du dehors. Mais chétifs, obstinés, impressionnables, nous sommes d'une heure fugace, d'un lieu exigu, les premiers. Tout est dit, en silence, dès le commencement et dès avant cela, même, dans la profonde nuit qui précède notre journée. Nous n'en savons rien. Nous n'avons pas, ordinairement, à nous le demander. Mais que, sous la pression des circonstances, la question, soudain, se pose et l'on se découvre agité, malheureux, divisé quand on n'aspire simplement qu'au repos, à la paix.

Le jour lointain, déjà, de novembre où André C. m'avait poussé, nanti de quelques directives, dans le grand vide brumeux appelait un répondant. J'aurais parlé, alors, au lieu de hocher la tête en signe d'assentiment ou de me taire. J'avais franchi à mon tour l'écran du taillis, traversé, dans des express, les plis de la zone métamorphique. Mais il est une muraille impalpable, invisible que ni les lourds convois ferroviaires ni nos pensées ne sauraient percer, et c'est le temps. Mon vieux professeur allait prendre sa retraite. J'étais à cet âge, entre vingt et trente ans, où les rêves purs qu'on échafaude, seul, se sont dissipés sans que les vues meilleures qu'on a cherchées au large, par la suite, aient pris la fermeté qu'il faut. On demeure interdit au contact de la réalité. On doute qu'elle se laisse jamais fléchir, désormais. Des hommes ont reconnu leur destin, identifié les puissances hostiles, le plus souvent, parfois, beaucoup plus rarement, bienveillantes, qui les environnaient. Mais c'était autrefois, sous d'autres cieux. Celles que nous affrontions nous opposaient un visage rocheux, leur épais manteau de forêts, un impénétrable mutisme. Enfin, j'allais rentrer, comme chaque année. Je rendrais visite à André C., dont la gazelle, dans l'intervalle, était morte. Il écouterait, derrière la fumée montant de ses cigarettes comme d'un trépied. Je parlerais. Je dirais que rien n'était lumineux comme les Grecs qu'il fréquentait avec la même dévotieuse assiduité. Puis je demanderais, doucement, si l'on ne pouvait pas, maintenant, comme eux-mêmes l'avaient fait, interroger les choses prochaines, le présent. S'il ne venait pas un moment — mais lequel ? — où l'on était de taille à leur tenir le langage requis, à leur extorquer la réponse, aussi massives, hirsutes et malintentionnées qu'on les voudra. Il n'y avait que lui pour m'entendre. Il saurait de quoi je parlais. Il en avait l'expérience. Il m'avait devancé. Mais juin ne vint jamais, pour lui, du moins. Son cœur se déchira, en mai. Il eut peut-être le temps de scander, en grec, pour la dernière fois, un vers d'*Agamemnon* — « Voici les portes de l'Hadès, je les salue » — puis le songe isolé, très érudit où il s'était réfugié, sa vie durant, disparut de la radieuse matinée.

La main de fer qui m'avait saisi à la gorge ne me laissait plus de cesse. J'allais d'un hôpital à l'autre, sans résultat. On ne m'avait pas retiré les agrafes que ça recommençait. Ça ne pouvait pas tellement durer. L'affection profonde, récalcitrante finirait par désorganiser la circulation des influx, de l'air, des fluides. J'ai commencé à douter de pouvoir continuer bien longtemps, le cou, et tout ce qui passe par cet isthme, rongés par le mal. Je me demande encore si ces ennuis de santé furent vraiment fortuits ou si la machine, me voyant dans le pire embarras, s'offrit à couper les ponts avec l'extérieur, la communauté — je pouvais à peine parler et j'y regardais à deux fois avant de proférer un mot, tant il m'en cuisait —, l'atmosphère. Toujours est-il que les manifestations les plus aiguës coïncidèrent avec la période où je ne voyais plus d'issue. Ou je laissais le mal qui me tenaillait resserrer son étreinte, achever sa besogne, ou je me chargeais de trouver par moi-même les mots que j'avais demandés à d'autres et en vain. Ils participent de notre nature. C'est par eux que nous pouvons tirer les choses du côté distinct, pensif, qui est le nôtre, reprendre cette part de nous-mêmes qu'elles se sont annexée sans notre assentiment et tiennent prisonnière, séparée.

J'avais tendu l'oreille pour déceler des voix qui leur ressembleraient, précipitée, argentine, pour les ruisseaux, celle des bois augurale, chargée de majesté, l'organe des grès, profond, caverneux. Il me semblait fou de questionner un monde fermé depuis la nuit des temps dans son refus de livrer la première syllabe aussi longtemps qu'on s'y tenait et qui, lorsqu'on s'en écartait afin de le mieux voir, s'évanouissait. Je m'étais fourvoyé. J'avais perdu mon temps à des jeux formels dans un décor sans extériorité. L'avenir s'était soudainement raccourci. Je me réveillais, à intervalles de plus en plus rapprochés, en salle de réanimation. Le point de vue qu'on prend, malgré soi, d'un lit haut perché en acier chromé n'est pas dépourvu d'intérêt. Les détails qui brouillent la perspective, aux jours ordinaires, les craintes personnelles, archaïques qui nous font différents se dissipent lorsque, de la poupe de l'étrange esquif, on entrevoit la sombre rive commune. Certains de mes compagnons de chambre abandonnaient la partie. Lorsque l'infirmière, au petit matin, poussait son chariot encombré de flacons, de pinces et de pansements, ils ne bougeaient pas, ne répondaient plus au salut qu'elle jetait à la cantonade. Seul un soupir, un râle rappelaient, par instants, que la vie n'avait pas quitté leur formes allongées, immobiles, sous les draps.

J'ai eu pour voisins un garçon de café parisien tout droit sorti des pages de Sartre où il joue naturellement son propre rôle, un contremaître de Renault auquel rien ne semblait plus étranger que la conscience de ses chaînes et la volonté de les briser, un marginal qu'on allait amputer et dont le voisinage était éprouvant. Je venais de remonter du bloc opératoire. Il me semblait résider une fois encore en deux endroits distincts, la tête, d'un côté, le restant du corps de l'autre, séparés par une haie de feu, un de ces murs crêtes de tessons, coiffés de fil de fer barbelé, électrifié, comme on en voit aux endroits dangereux, interdits. Pendant que je cherchais à me rassembler, il s'agitait comme une bête traquée, jetait partout des regards perçants, haletait. Son bras esquissait des menaces, retombait. De temps à autre, il éclatait en imprécations contre des gens dont il ne prenait pas la peine de préciser

98

l'identité, contre le chirurgien qui allait lui couper la jambe. On le préparait lorsque, à quelques jours de là, je quittai la pièce ripolinée. Sous l'effet du sédatif, son bras, son infatigable soufflet étaient retombés. Je ne le vis pas descendre ni remonter, diminué de moitié.

J'étais dehors, dans le soleil. Mais j'emportais un peu de la froide détermination qu'on tire des lits métalliques surélevés, du bout de navigation que j'avais fait dessus. On a vu les choses en face. On a moins lieu d'espérer, donc de craindre, d'hésiter. Le temps ruisselle, précipite son cours, pourrait bientôt manquer. C'est un lit réglable qui m'a conduit à pied d'œuvre. Tout cela n'a peut-être rien eu que de normal. La maladie ne fut que l'altération prévisible du principe vital exposé à l'action prolongée d'un milieu sans air ni substance, hypoxique, décoloré. J'avais troqué la certitude d'un bonheur tout proche contre l'éventualité problématique d'une explication future. J'avais quitté les choses sans obtenir le moindre mot en retour. Pareil état ne pouvait s'éterniser. Quoique je les aie regardés comme contingents, les intermèdes hospitaliers ont fait naître l'idée qui, jusque-là, ne s'était jamais présentée parce que essentiellement incompatible avec ce que nous étions, extérieurs à notre petit monde, fermés à nous-mêmes et, plus largement, coupés de tout. Elle consistait à trouver à mes frais les termes qui ne figuraient pas dans la dotation initiale et dont l'absence contribuait à notre misère autant et plus que l'enfouissement dans le roc, la conspiration du taillis, des fourrés. Telle est la pensée toute simple, fortement criminelle, qui m'accompagnait lorsque, sur le parvis de l'hôpital — c'était un autre été —, les remugles d'essence brûlée, de poussière, de goudron surchauffé m'ont assailli derrière les portes vitrées. À quoi s'ajoutait peut-être celle, timide, que rien ne m'aurait atteint si j'avais suivi mon penchant, nul ennemi, aucun mal parce que j'aurais été chez moi, dans une évidence qui me dépasse, derrière des volets bleus.

Je pouvais bien m'exposer au déplaisir spécial, second d'être inégal au soin de dire les choses après celui, tout physique, que leur fréquentation m'avait procuré. Il ne durerait sans doute guère et leur ascendant s'en trouvait diminué d'autant. Restait la difficulté que toute chose nous oppose, serait-elle la moins étendue, la plus prosaïque, son opiniâtre secret. C'est pour être partout, sous nos pieds, sur nos têtes, de quelque côté qu'on se tournât, que celui-ci nous échappait. J'hésiterais toujours si un ouvrage pareillement enfoui, caché, comme homogène à son objet, n'avait brisé le sortilège.

Le rez-de-chaussée de l'hôtel Renaissance délabré abritait, outre la bibliothèque municipale et les organismes les plus divers, une société savante fondée au siècle précédent par quelques érudits locaux. La première était ouverte à tous quoiqu'on n'y trouvât pas un seul imprimé destiné à l'enfance, qu'on refusât à celle-ci les explications qu'elle est naturellement portée à chercher. En tout état de cause, elles ne figuraient nulle part. Est-ce la raison pour laquelle tant de gens qu'on crédite, enfant, de clartés supérieures et des résolutions qui vont de pair me semblèrent souvent se comporter comme des enfants ? Pour pousser la porte du rez-de-chaussée, en revanche, il fallait avoir un certain âge, se prévaloir d'une curiosité précise qui s'acquiert avec les années. Je n'espérais plus dénicher inopinément l'in-octavo où tout serait dit, et jusqu'aux rêveries où l'on se jette en désespoir de cause, à l'insomnie. Mais peut-être existait-il un mot perdu dans quelque monographie poudreuse imprimée sur place, une note manuscrite tracée à la plume d'oie par quelque âme sensible pour me mettre sur la piste. Comme à l'étage, quatre mètres plus haut, des volumes, anciens pour la plupart, s'étageaient le long des murs de pierre nue, qu'on aurait dits non pas tant de moellons empilés que creusés dans la masse du roc. La clarté louche, comme souterraine ou alors âgée, restée du temps du roi François, ajoutait à l'impression de s'enfoncer, quand on avait poussé la porte, dans l'épaisseur de la terre, le puits du passé. Quelques curieux menaient là des recherches à quoi les poussaient une marotte, un vice inavoué, de sorte que les lumières qu'ils tiraient de leurs incursions dans le papier jauni, mangé de vers, n'étaient que pour eux. À cette confrérie disparate se mêlait, par bonheur, un instituteur à la retraite qui avait converti au français, à l'écrit la population isolée dans ses ravins, égarée sur la lande et travaillait maintenant à en inventorier les usages, la parlure avant qu'ils n'aient entièrement disparu. Je lui rendais visite lorsque je descendais. Il exhuma un jour d'une étagère deux gros volumes dont sa main seule, sans doute, avait dérangé la poussière depuis un siècle et plus qu'ils y avaient été déposés.

Je ne sais s'il s'agissait d'une étude commanditée par la compagnie du Paris-Orléans, d'une recherche prescrite par l'École des Mines ou d'un travail entrepris par goût du métier, passion des faits. L'auteur, qui devait porter les côtelettes à la Ferry ou la barbiche et les binocles des Durkheim et des Taine, avait chaussé de puissants godillots et traîné ses guêtres, le marteau à la main, dans le chaos environnant. Il avait élucidé la genèse des grès rouges, relevé l'emplacement de la vieille lagune, dessiné les lèvres du delta, prouvé des déluges de dix millions d'années, goûté, dans le doute, les marnes qui happent à la langue avant d'établir en cinq cents pages, scientifiquement, ce dont on avait à cinq ans l'intuition, à savoir l'ingratitude sans appel d'un sol également impropre à tout. Il aurait pu ajouter : à la joie, au repos si les savants ne croyaient devoir s'interdire toute appréciation subjective des faits.

Il était conforme aussi bien à l'ordre général qu'à la loi coutumière dont nous éprouvions la rigueur que le seul ouvrage qui touchât au fond des choses vivrait comme en symbiose avec elles, collé au mur épais de un mètre et plus de l'édifice ancien, indistinct sous la poussière, introuvable, ignoré. Il aurait pu poursuivre indéfiniment son existence inconnue sans l'aide généreuse d'un hussard noir. Il avait, quand je l'ai pris, le froid compact, la densité du roc dont il semblait avoir été extrait et lorsque je l'ai ouvert, il m'a semblé non pas tant déchiffrer des mots imprimés dans un volume à l'humide haleine de terre qu'écouter la voix du roc, le souffle profond de la durée.

C'est un géologue positiviste et barbichu qui a ouvert la première brèche dans la paroi de silence qui nous cernait, accroché des mots, fussent-ils ceux de calamités et de cargneules, de psammites, de lias et de trias à l'espèce de sinistre où nous nous trouvions impliqués du simple fait d'être nés. J'ignore d'où il était. Je ne sache pas qu'une rue de l'agglomération, qu'une venelle aient porté son nom, où je vois une autre preuve que sa vie, sa peine, pour nous qui en étions les premiers bénéficiaires, qu'elles auraient pu délivrer, en partie, du second maléfice — qui fut d'ignorer — avaient été en vain. Peut-être l'avait-on dépêché de quelque grande ville pour lever le tracé de la ligne Paris-Toulouse, sur ce tronçon où la machine du Progrès, après avoir allègrement galopé par les blés de la Beauce, les platitudes solognotes et les coteaux littéraires du Berry, se heurtait à la succession ininterrompue d'escarpements et de fossés que la terre jetait sous ses roues embiellées. Peut-être la République batailleuse du 4 septembre avait-elle souhaité sonder les replis de son cœur, porter au jour ses sombres secrets. Dans tous les cas, le beau travail de Mouret — le géologue — était resté lettre morte, comme si les choses l'avaient emporté, qu'elles eussent tiré à elles, entraîné dans leur silence et leur nuit les appellations rigoureuses qu'il leur avait imposées. Son livre sentait la vieille pierre. Il était refermé sur lui-même avec la même constance, enfoui dans un coin, bistre comme le grès, oublié. Il existait, pourtant, et s'il occupe une place à part dans le paysage de papier qui a éclipsé, à dix-sept ans, pour moi, la ligne proche, circulaire, des collines, c'est parce qu'il a ébranlé le mutisme des fondations dont procédait, en dernier recours, le silence auquel nous étions voués.

J'ai vérifié, mis mes pas dans ceux de Mouret, retrouvé au lieu-dit, au mètre près, les grès gris incohérents puis les rouges, les galets roulés par d'anciens Amazones, les empreintes de calamités géantes, les minces lits de houille, les rognons de fer carbonaté. Je me demandais, sur les affleurements désolés, parsemés d'herbe rase, de petits épineux, si je n'aurais pas été mieux inspiré de consacrer les années décevantes qui venaient de s'écouler aux sciences de la terre. En place des pages neuves au parfum d'amande amère, sans extériorité ni attache, que je lisais dans des réduits, j'aurais consulté ses feuillets, en plein vent. Tant qu'à vivre dans le passé, à quoi nous condamnait l'univers fermé de nos éveils, ç'aurait été en connaissance de cause au lieu de penser crever sur la scène lointaine, sans air, du présent.

Je n'avais pas encore l'usage de la parole que j'aurais pu indiquer par gestes, mimiques, cris inarticulés le tracé de la frontière, le point où les signes s'inversaient. Lorsqu'on quittait Brive vers le sud, il semblait encore, sur quelques kilomètres, que tout continuait. On gravissait des pentes pour retomber dans des ravins. Certaine portion de route, en particulier, sous le roc troué de grottes pareilles à des orbites, porteur de mousses blêmes, brisait l'élan. L'obstacle, en cet endroit précis, semblait insurmontable mais c'est parce qu'il était sur le point de céder. Ce qui, dans la nuit des âges, avait arrêté nos destinées se dressait de toute sa stature. Le rocher, qu'on avait tenté de déborder, venait se mettre en travers du chemin. On était alors au pied du coteau de Noailles. La route amorçait vers la droite une feinte inutile, butait contre la paroi, repartait à angle droit, se cabrait, cherchait comme elle pouvait le passage entre le vide, en contrebas, et l'épaule massive de grès rouge, courroucé. Les camions, quand on arrivait là, semblaient sur le point de renoncer. Ils ahanaient sur deux notes, crescendo. On s'attendait, derrière, à les voir expirer dans une épaisse bouffée de fumée noire, leur masse esquisser un mouvement rétrograde, dévaler n'importe comment la pente, en tonneaux, pour rouler vaincue, disloquée au fond du vallon. On souffrait avec la mécanique surmenée. Puis la plainte changeait, baissait d'un ton ou deux tandis que le talus dont on pouvait détailler chaque détail, brin d'herbe, aspérité commençait visiblement à reculer. L'autre, devant, retrouvait la mâle tessiture qui sied à un camion. On prenait pied sur la hauteur, dans le village avec, d'un côté, le manoir des anciens ducs, de l'autre, des maisons basses, en grès toujours, le bonnet d'ardoises enfoncé jusqu'aux yeux, une station-service où les engins s'arrêtaient pour reprendre haleine, s'abreuver. La 20, juste après, amorçait une large courbe à droite, en descendant, et c'est alors que la terre, le couvert, la lumière changeaient. Une roche claire, soigneusement stratifiée, bordait la route. De vastes degrés, piqués d'abrisseaux vernissés, de buis, de genévriers menaient droit vers la vallée de la Dordogne. Mouret indiquait, dans son langage, qu'on entrait sur un territoire différent, qu'il laissait à d'autres le soin d'inventorier.

À la différence de ceux qui valent par eux-mêmes, quand le dehors s'est comme volatilisé, son livre n'avait de signification qu'en présence du monde. Il était comme le préambule de la notice qu'il aurait fallu que celui-ci porte à sa surface, imprimée sur le calcaire lithographique, gravée sur les plaques de schiste ou, si l'on souhaite une ombre de mystère, recouverte de feuilles, de lichen, mais lisible, confidente, quand on les écartait du tranchant de la main. Bien sûr, il laissait entière la question du présent. Son propos n'allait qu'à éclairer la genèse mais, dans sa froideur, il mordait sur l'obstacle immédiat. Il a ouvert une brèche dans le roc, forcé les portes du silence.

Ce fut comme la 20 au pied de l'épaulement de Noailles, sous le regard des orbites qui trouent la paroi. L'opposition se durcit, s'exaspère quand on est sur le point d'échapper. Avec les complications particulières qui nous incombaient, les voies habituelles étaient impraticables ou, pour le dire autrement, ce à quoi j'osais prétendre si contraire à ce qu'on était, par la force des choses, qu'il était impossible de l'envisager autrement qu'aux endroits les moins adéquats et comme à temps perdu. Pas question de m'asseoir tout uniment à une table pour chercher sur le papier l'écho du monde environnant. Ça se serait traduit par une indescriptible confusion, le aaaaahhh lassant, irrité de l'eau, des pages blanches, pour transcrire le silence. C'est dans des locaux étanches, lunaires, haut perchés ou bien parmi des orangers en caisse et des jets d'eau que j'avais pu me soustraire à l'influence d'un lieu qui nous refusait, lorsqu'on l'habitait, le premier mot et ne répondait point à ceux qu'on était allé chercher à plus de cent lieues.

Au regret pur et sans mélange de la vie toute contemplative, ensoleillée à laquelle j'ai manqué, en Quercy, s'ajoutait celui des heures pleines, peu nombreuses, que j'ai eues sur les terres froides, dans la réalité. Celle-ci enfermait, à dose homéopathique, quelques attraits qui en portaient la marque, la sauvagerie et le secret. L'eau seule avait la vertu de laver mon père de sa mélancolie. Il bravait les contorsions des petites routes pour fréquenter, sous ombre de pêcher, les rivières qui courent sous les branches, les retenues des grands barrages. C'est l'année de mes huit ans qu'il m'a tiré du sommeil bien avant l'aurore pour m'entraîner vers Saint-Julien-aux-Bois. Nous ne nous étions pas enfoncés de dix kilomètres dans les fronces auxquelles s'annonce la Xaintrie, à l'est, que j'étais malade comme un chien, victime de l'interdit qui pesait sur nos corps, aussi. Mais je me souviens que, du fond de la nausée, je tenais bon. J'acceptais. J'étais désireux, même à ce prix, de surprendre les créatures qui peuplent les eaux profondes. J'ai continué, plus tard, seul. J'ai étendu aux insectes, qui mènent une vie mystérieuse et brillante, sous l'écorce, la nuit, l'attention passionnée, atavique, sans doute, que m'inspiraient *les hôtes écailleux de l'humide élément*. Telle serait ma contribution affirmative au pays natal. Elle en garde le pli. Ce qu'il contenait d'attirant n'était accessible qu'après un épisode déplaisant, plein de dégoût. Ce que j'obtenais n'était jamais exempt de l'hostilité foncière, du refus auxquels se heurtaient les aspirations les plus humbles, comprendre un peu, posséder quelque chose de beau ou de bon, connaître quelque satisfaction.

Rien, de prime abord, ne ressemble moins à la truite noire que les insectes. Pourtant, ils sont également munis de dents, de mandibules acérées, carnassiers, pareillement féroces et défiants. Lorsqu'on les arrache à l'invisibilité qu'ils pratiquent, chacun dans sa partie avec un art équivalent, ils arborent le même éclat, le même poli de métal précieux, une identique perfection dans la forme que rehaussent encore, par contraste, la grossièreté de la brande, les éboulis où l'eau galope, l'âpre toison de bruyère et d'ajoncs. Leur parenté générique se manifeste enfin dans leurs habitudes, qui restreignent dramatiquement l'aire de la rencontre. Celle-ci est dûment circonscrite à un court instant de certaines journées. C'est au crépuscule, l'été, lorsque des eaux qui semblaient vides s'obscurcissent, que des truites, qu'on ne saurait voir, glissent sous leur miroir. Les grands carabes de cuivre repoussé, de bronze et d'or patrouillent à la lisière opposée des ténèbres. Ils se hâtent de regagner aux premiers rayons leurs retraites dans les troncs creux, sous l'humus. Il s'agit d'être sur place dès l'aube ou à l'approche de la nuit, lorsque scintille la splendeur infime, intermittente déposée à titre compensatoire dans la désolation.

Pour ne pas manquer l'occasion, je m'y prenais à l'avance. La nuit du matin était encore profonde ou le soleil trop haut. La fenêtre s'obstinait à me renvoyer le reflet de la pièce aux lampes allumées tandis que l'eau, à l'opposé de la journée, n'en finissait pas de perdre sa transparence. Force m'était d'attendre que l'aurore découvre la campagne, que le crépuscule gagne les hauteurs où courent les ruisseaux. Ce fut par un des étés les plus brûlants dont je me souvienne. Il s'en fallait d'une bonne heure que le soleil rejoigne l'horizon. Je m'étais rangé sous des frênes. Leurs feuilles cuites, vannées, pendaient comme des langues de chiens assoiffés. Le temps s'étirait. Je m'impatientais puis je me ravisais. Les années s'étaient bousculées. Elles m'avaient emporté contre mon gré, puis avec, aux endroits les plus opposés à mon penchant, les moins respirables. J'avais conçu puis perdu l'espoir d'y voir clair. Le mal qui me tenait à la gorge jouait au chat et à la souris. Chaque matin, je me rendais à la petite ville voisine. Une infirmière cherchait la veine, me piquait. Ça tenait la main griffue en respect un jour de plus mais je ne me voyais pas tellement durer. À des intervalles qui me semblaient longs, je quittais l'ombre du frêne pour étudier l'eau. On aurait dit du cristal reflétant une flambée. Elle charriait des aigrettes, des globules éblouissants qui blessaient les yeux. Il n'y avait rien à faire qu'à patienter, comme à la fin de la nuit prochaine, si elle daignait descendre, je devrais attendre que la ténèbre se disjoigne, devienne les bois, le ciel, l'herbe où se hâtaient les petits assassins aux poignards dentelés.

C'est là que le dessein tout simple, très sacrilège, que j'avais conçu puis délaissé s'est imposé. Les choses ne portaient point de nom. Les nominalistes attitrés auxquels j'avais rendu visite n'en avaient pas pour elles parce que, à leurs yeux, elles n'existaient point. Ça allait mal. Il se pouvait que je n'aille plus très loin. Qu'importait, alors ? J'ai fourragé autour de moi, exhumé de la boîte à gants un ticket de caisse, une facture de vidange, quelques papillons de stationnement et un stylo à bille lequel, par extraordinaire, écrivait quoique bavant affreusement. Un soleil rougi, bien rond, reposait en équilibre sur la ligne tourmentée des hauteurs limousines, derrière le pare-brise, pas très loin. J'ai posé mon ticket au centre du volant, une paperole longue d'une douzaine de centimètres et moitié moins large. Elle m'a paru on ne peut mieux assortie à ce qu'il y avait autour, à mon entreprise. Au moment de commencer, j'ai relevé la tête comme il arrive, lorsqu'on marche dans la rue, que quelqu'un nous observe, d'une fenêtre, dont je ne sais quel instinct nous avertit. Je n'aurais pas été outre mesure surpris de découvrir derrière la vitre l'assemblée au grand complet des interdits, quelque avertissement tracé comme à la suie sur l'air assombri, d'entendre une voix de désastre m'intimer l'ordre de lâcher ça. Mais la petite route était déserte, les hautes fougères, les branches de frêne immobiles. Nul avis peint à la hâte et soudain brandi ne m'enjoignait d'arrêter, de ne pas commencer. J'ai appliqué le bout de papier sur le volant et, d'une main qui tremblait un peu — je m'en suis fait la remarque —, inconfortablement, j'ai tracé le premier mot.

DU MÊME AUTEUR

Aux Éditions Gallimard

CATHERINE, 1984 (Folio n° 6255).

CE PAS ET LE SUIVANT, 1985.

LA BÊTE FARAMINEUSE, 1986 (Folio n° 6256).

LA MAISON ROSE, 1987.

L'ARBRE SUR LA RIVIÈRE, 1988.

C'ÉTAIT NOUS, 1989.

LA MUE, 1991.

L'ORPHELIN, 1992.

LA TOUSSAINT, 1994 (Folio n° 6428).

MIETTE, 1994 (Folio n° 2889).

LA MORT DE BRUNE, 1996 (Folio n° 3012).

LE PREMIER MOT, 2001 (Folio n° 6713).

JUSQU'À FAULKNER, 2002 (L'un et l'autre).

CHASSEUR À LA MANQUE, 2011 (Le Cabinet des lettrés).

FAUTE D'ÉGALITÉ, 2019

HÔTEL DU BRÉSIL, 2019

Composition Nord Compo
Impression Novoprint
à Barcelone, le 11 octobre 2019
Dépôt légal : octobre 2019
ISBN 978-2-07-283317-5./Imprimé en Espagne.

345100